JN071567

安倍貞任伝説考（改訂版）

目　次

はじめに

私が28歳の1969年（昭和44年）の11月，乗船していた2,400屯のトロール船は，ミドウェイ海域の海底海山に寄り付いた草刈つぼ鯛と金目鯛を漁獲しておりました。

その船内で，無線通信業務を終え一息ついた折，福島県いわき市出身の一等航海士の井口勝さんから『局長（私の職名），これから一献酌み交わしてみませんか』と誘われました。

魚が沢山獲れた安心感もあって，終始和やかに話しを取り交わしました。その時，彼は私の出身地の牡鹿半島の田代島を知っていると云いました。不思議に思いたずねると，彼は『田代島は全国学力テストで一位をとったでしょう』と云いました。

はっとした私は『そういえば，そんなことがありましたね』と答えてから，『実は田代島に安倍貞任が来たと云う伝説があるのですが』と話すと，彼はすかさず岩手県衣川の『一首坂』のことを話して，八幡太郎義家が貞任を助けたと云うのです。

一首坂などそれまで聞いたことも無く，阿部一族と云えば読みもしない森鷗外の小説のことかなどと認識していましたので，大いに恥じ入ったところでした。その時，一度はそこを訪れて現場を見てみようと心に決めました。

岩手県はさほど遠くないので，いつでも行けると考えておりましたが，日常事に追われ，なかなかそのチャンスが巡ってこず，人生も半ばを過ぎてしまいました。

62歳の2003年（平成15年）の春，やっとその機会を掴みました。使い古した愛車のパジェロで多賀城から出発，直接衣川村に向かいました。はじめから村役場に行けば良いものを，要らぬプライドから方々を探し廻りましたが，その『一首坂』が見当たらず，やむなく村役場に赴き場所を教えていただき，やっと目的地に辿り着きました。

車を降りた途端に急な日当り雨に見舞われ，『涙雨だな』などと連れと話しながらその坂道を歩き，記念撮影をしました。

その日，安倍一族の守護神である男石神社に立ち寄った際，この神社が荒神様であることを知り，私の家の神様も，米軍艦載機の攻撃から母と私を隠してくれた太いタブの古木の側にある奥神の荒神様だと思い出しました。

子供の頃に，『荒神様の中に入るのは誰だ！』と咎められ，出て行くと『札場（ふだば）の洋祐君だったら良いのです』，と荒神様を守っていた家がタテと云う屋号の家でした。縦横のタテとばっかり思っていたのが盾と気が付き，それからが島の屋号を調べるきっかけとなりました。

異なった視点から見ると，少々苦労と時間はかかりましたが，色々な屋号の意味が次々とわかりました。

衣川を訪れた際，特に感銘を受けたことは，敗者の貞任を『郷土の英雄』として石碑に刻んであることでした。このことが私の研究の心の拠り所となりました。

過ぎ去った約950年間に，田代島より全国各地に散らばった人々は数多く，その子孫も又数多いことでしょう。田代島は安倍の残党だけでもなく，流人ばかりの島でもありません。四海（世界）波静かに，国の御寧（みねい）を望む『まほろば』だったのです。

拙著が，この島出身の人々のDNAの琴線にふれることを密かに願い，且つまた夢ではありますが，巻末の『源氏八兵団住居配置乃図』から，その配置が世界遺産となり，田代島と石巻市が観光においても栄えることを願うものであります。

後編の鶏足コードと八兵団地図を世に出すにあたって，やる気はありましたが，私一人ではいつまでたっても出来上がらなかったことと思います。若い頃は金は稼げても暇が無く，海を離れてからは，暇があっても金と気魄が無く，本など到底及びませんでした。

田代島の同期の友阿部進一郎君に声をかけていただき，また絶大な御支援をいただき，百万の援軍を得た思いで，はじめて私の尻に火がつき，エンジンがかかった次第であります。また安倍重任の末裔やすぺやの田代健雄氏にも多大な御協力をいただきました，両氏には大いに感謝致しております。

尚，渡島の背景や，その経路は秘密であり，封印されていたもので，現実に見たわけでもありませんので，今までの研究をもとに，想像力を働かせて『木の実のロザリオ』と『夕顔の軍議』の物語にまとめてみました。その裏付けは，学者の方々と若い世代におまかせ致します。

平成 27 年 4 月 14 日

阿　部　洋　祐

改訂版を出すに当たって

土星を取り囲んだ惑星の『カトルセ・コンジャンクション＝四合犯（ごうはん）』による全世界を巻き込んだコロナ渦（うず）。日の本は自前のワクチン無し，特効薬も無し，嗚呼なんと此の船の舵取り。

この禍（か）を避けながら，故郷の事（こと）を追加補填（ほてん）した改訂版を世に送り出します。

関わって下さった，田代島の方々，松江市観光振興部・（株）金港堂出版部・笹氣出版印刷（株）の皆様に，心より感謝と御礼を申し上げますと共に，ご健勝を祈念致します。

令和 3 年 6 月吉日

阿　部　洋　祐

巨人貞任（安倍氏一門の事跡）要約

小西 可東 著

大正 7 年 3 月 11 日発行

岩手日報社

（注）異書体は付線文に関する著者の注釈

1　東国の統治

今を遡ること一千年の昔，人文未開の奥州は容易に外部の侵入を許さなかった。

従ってその界内には，武内宿禰（たけのうちのすくね）が所謂（いわゆる）男女共に「推結文身（すいけつぶんしん）」の蝦夷が生棲していて，その生活実態，風俗習慣等は後世より推測される。

如何なる国土もその開発の順序は交通であり，交通は又水利の便に依るため，奥羽地方でも水利に勝った出羽が陸奥に先駆けて開けたのは自然の理である。

試（こころ）みに地図上に於いて陸奥の地勢を視れば，出羽と境を画する陸奥山系は，西方に一道の脊梁を為し，東方には北上山系が長く南北に連なりこれと対峙し，さながら一双の屏風を並べ立てた如くに北上，馬淵の二川の流域を取り固めている。

人智未開，交通不便な当初に於いて，陸路により開拓を進める困難さは，容易に外部からの侵入を許さなかった歴史上の事実より知ることが出来る。

しかし，北上川流域の広大なこと，地味の豊壌なことは夙（つと）に朝廷の注目するところとなった為，景行天皇（けいこうてんのう）の御代，武内宿禰が勅命（ちょくめい）により探検した後帰来「土地沃壌にして広し，撃って取るべき也」と奏上したのも偶然ではなかった。

爾来歴代皇帝が東国の開拓に力を注いだことにより，時には失敗もあったが，皇威は低きに水が流れる如くに次第に東へと移り，早くは日本武尊の親征さらには坂上田村麻呂の討伐などにより急激に東方開発が進められた。

当時の東国統治の様子を記録から総合して考察すると，武力での威圧，或いは恩賞による懐柔，また宗教による節度などにより倭人と蝦夷を近接させたことで，蛮地も開け皇帝の威光も次第に普及した。

殊に田村麻呂の具申により，弘仁二年胆沢城（胆沢郡佐倉河村字佐八幡付近）を築き，これより先の神亀元年（元年以前説も有力）に設けられた多賀の国府と相俟って，東国統治の制度は一歩進んだ。

思うに，当時の東国開拓は，前方蝦夷の境界には城塞を設け辺境鎮圧の軍政を施し，後方には賦役収斂の民政を敷く国府を置き，両者相俟って屯田開拓の実を挙げた。

そして，これら軍政と民政の調整に当たる地方官の司は，多くの場合鎮守府将軍と陸奥守を兼任した。

故に多賀の国府のような後方の安穏な地域では，国司以下妻子眷族を伴い赴任する者も多く，そのため多賀郷の境域はかなり広大であった。即ち今の宮城郡多賀村，七ヶ浜村，塩釜町に亘る地区がそれで，この中に国衙があり広さ四百坪，本丸は五十間に五十六間の升目であったという。今もその城墟は市川村にあって，四方に土手の痕跡が認められる。

彼の壺の碑もここに在って「多賀城は神亀元年鎮守府将軍大野東人の置く所，天平宝字六年，鎮守府将軍藤原朝獦の修造」とあることから，壺の碑は時ならぬ史界に論駁の花を咲かせた。

2　安倍氏の崛起

然るに当時陸奥に安倍氏という代々の豪族があったが，彼は神武天皇の大和侵攻に抗して敗れ，陸奥津軽まで落ちのびた長髄彦の長兄安日の後裔で，安倍は安日の転訛したものと推測され，或いはまた東奥未開の当初，逸早く蝦夷に於いて崛起した夷徒（いと）の巨魁所謂（いわゆる）俘囚の長であるとも称せられているが，安倍忠頼の子忠良に至り，彼は陸奥の大掾（だいじょう）に任ぜられ，胆沢（いさわ）・和賀・江刺・稗貫（ひぬき）・志波・岩手六郡に威名を振るった。

おそらく当時に於ける地方官の任命権は朝廷にあったのは勿論，任期は四年乃至六年で，彼等は常に国衙（こくが）に於いて政務を管掌したが，総称して国司（くにのつかさ）と云われる守（かみ）・介（すけ）・掾（じょう）・目（さかん）毎に担任する職掌を異にした。殊（こと）に掾は大小各々一人を置く制度であり，その任務は警察職務にあったので，大掾に任官した忠良が次第に勢力を布殖するに至ったのは止むを得ない。即ち安藤系図には忠良を大掾，陸奥話記には忠良の子頼良を六郡の司としたのを見ても，父子何れかは一度仕官したことは疑いない事実である。しかも忠良，頼良等の仕官したのは，京師より下向した地方官ではなく，土着の豪族が固有の勢力に加え，更に一国の政務の枢機（すうき）を担うため，名実兼ね備えた点に於いては到底外来者の比ではなかった。

果たして，頼良に至り彼は武威を四隣に揮（ふる）い，六郡を領有して海陸の産物を積み，隠然たる大国の王侯の観を呈したという。

頼良は斯（か）くも強大な国土を領有すると共に，六郡の最南端景勝の地衣川に関を造り，柵を設け，更に自身をはじめその子女の邸宅を築き，周囲には一門郎党の家屋を廻（めぐら）すなど盛大な城下の市街を経営した。後年平泉全盛時代に於ける藤原氏の経営は，母方に於いて血族関係のある安倍氏に習い，位置と結構（けっこう）は異にしても大部分彼に模倣したものと思われる。即ち平泉初代の藤原清衡（きよひら）が平泉に館（たて）を構えた嘉保（かほう）元年は，叔父（しゅくふ）安倍貞任が戦没した康平五年を去ること僅か三十年なるのみならず，金色堂建立（こんりゅう）当時，なお清衡の母堂（貞任の妹）有加一乃末陪（ありかいちのまえ）は生存しており，その子基衡（もとひら）の側室は安倍宗任の娘であるなど，藤安二家の密接な関係に依れば，平泉経営は衣川の経営を拡大したに過ぎない。

のみならず，頼良は北上川の対岸東稲山（たばしねやま）の麓三十里（六町一里）の間に，桜の並木を植え，己の館からこれを見渡すと云う贅沢もした。四・五月頃には残雪は消えても，引き続き咲き乱れる桜花の眺めは一入であったので，東稲山を桜に因み駒形嶺と称し，その麓を流れる北上川を桜川と名付けたなど，安倍氏得意時代に於ける風流が思い遣られる。

頼良はこのように一国の首府衣川の経営を壮大にすると共に，国内枢要の地点にはその八男を配置し，そこに塞柵を築き，官舎を構えて住まわせて領土を統治したが，その八男は長男井殿盲目，次男厨川次郎貞任，三男鳥海三郎宗任，四男僧良照（境講師），五男黒沢尻五郎正任，六男北浦六郎重任，七男鳥海彌三郎家任，八男白鳥八郎則任（行任）等で，その通稱の厨川・鳥海・黒沢尻・白鳥等はいずれも塞柵を構えた地名に該当し，其の地の領主であった。

四男境講師良照又は官照の名が行任で，八郎則任（行任）は可東氏の誤り。

この外頼良に三人（或いは二人）の娘があったが，これを有加一乃末陪，中加一乃末陪，一加一乃末陪と云い，その一人は藤原経清（平泉初代清衡の父）に嫁し，他の一人は平永衡に嫁したが，この二人は共に安倍氏に随属した一門の武将であった。

安倍氏はこのように豊饒なる領土を占有し，次第に勢力を振るうに反して，多賀の国府の陸奥守藤原登任はこれを制御する力無く，頼良はその命令を無視するのみならず，貢賦を納入せず徭役も勤めなくなったことから，所謂前九年の役（実は十二年役）の発生を見るに至った。

3　時代

これより安倍氏の事跡を述べるに当たり，その時代背景を少し解説せねばならない。

彼の平安朝を通じ，久しく執政の枢機を握った藤原氏は，当代の末期に藤原道長を出し，藤氏全盛の極点に達した。彼が驕り高ぶり皇室をも凌ぎ，横暴一世を驚倒した有様は，既に栄華物語に記され明らかである。彼は位人身を極めるに際し，その三女を歴代三帝の中宮に推し，その子を摂政関白とし，その夫人を准三宮の栄位に置き，自ら三帝の叔父を以て任じ，社稷（国家の意）の事は一つとして意の如くならざるもの無きに及び，遂に「この世をば 我が世とぞ思う望月の 缺けたることのなしと思へば」と豪語するに至った栄耀栄華は，殆ど古今比類なき観を呈している。

凡そ上の好む所下これに習う。斯様に藤原氏が栄華三昧に耽る間に，当代の貴紳は奢侈淫逸に流れ，優柔不断に陥り，詩歌管弦に耽り公務を顧みず，遊び宴に日を送り，甚だしいのは男子の眉剃，黛，お歯黒に白粉など，道徳観念は頽廃し，淫猥の風が京師の天地に靡いた。試みに，当時盛んに男女間で応酬された和歌に見るも，また紫式部，清少納言，和泉式部等当時輩出した所謂女流文学者の著書に見ても，貴族淫靡の風は描写し得て余りある。

道長に継いで摂政関白となった頼道の豪奢は，寧ろ父道長を凌ぐと云われる位で，自身は三后の家兄，職は摂政関白であり，思うが儘意の如くならざるものは無かった。権威宮廷を圧して，さすが賢明で聞こえた後冷泉天皇も，光明を蔽わざるも止むを得ない有様だったとやら。

これのみならず，藤原氏一門の栄華を極めるに当たり，当時門閥の風が長く続き，譜代門地を以て父祖の官職を踏襲する慣習となり，英邁の士も門地（家柄）が低ければ絶対に登用の道なく，偶々特選を蒙る者があると，衆卿これを猜んで失典と称するなど，心ある士は到底この間に立って就官の苦痛に耐えられず，遂には京師の仕官を避けて地方に跳梁することを好む者があるに至った。

しかも中央に於ける貴族の豪奢と政治の紊乱は，延いては財政の窮乏を招き，その結果庶民に対する苛斂誅求となり，そのうえ教育は普及せず，政令は地方に行われず，交通不便にして凶賊が所在に出没，民衆の困窮は日毎に甚だしさを加えた。

けれども驕る者は久しからず，藤原氏が栄華を極めて，驕奢（きょうしゃ）の夢に耽っている時，俄（にわ）かに彼等の多年の迷夢を破った者は，実に辺境に於ける武人の反逆であった。

即ち先には承平，天慶年間に於ける将門･純友等の変があり，今また安倍･清原等の乱がこれに続いた。殊（こと）に後者は前後通じて十五年に亘った空前の戦乱で，藤原氏はこれよりその勢力を失墜したのに反し，兵馬の権を握る武門が跋扈（ばっこ）してきて，この為開闢（かいびゃく）以来千八百余年の王政は，武家の手に移って覇道に陥り，本邦の政体に一大溝渠を築いてしまった。

凡（およ）そ物の勢い極まれば，始めに還（かえ）るは世の常則である。さすがに道長が「欠（か）けたることのなしと思えば」と豪語したのにも似ず，その大胆な告白は不幸にも彼が死後間を置かずに全く反対の現象となり，遂に頼道を以て藤氏積年の宿弊を一掃し，さしも長かった栄華の幕は閉ざされた。以下項を改めて藤原氏の為にその爪牙（そうが）となり，東奥に出陣した源氏と，これに拮抗した安倍氏一門の終始するところを述べねばならない。

4　南方侵略

後三条帝の永承年頃，安倍頼良の勢いは猖獗（しょうけつ）を極めた，官命を奉ぜず果ては衣川以南の地方にまで侵入，官地を掠略（りょうりゃく）した。例えば栗原郡金田村字花山もその一つで，同地には古塁二つあって一迫川沿いの淵牛館（ふちうしたて）と呼ばれるものは，安倍貞任の居城であったと伝えられている。その二は同郡平形村江浦藻橋（つくもばし）付近の古館跡も安倍氏の居城であったらしい。江浦藻橋は後年源頼朝が藤原泰衡を追撃した時，この地で藤原氏の軍を破り，梶原影高が「陸奥（みちのく）の勢は味方に津久毛橋（つくもばし）　渡して懸けん泰衡が首」と詠んだことは人口に膾炙（かいしゃ）された話である。その三は玉造郡鬼首である。鬼首は多賀の国府より出羽に通ずる間道上の極めて辺陬（へんすう）の土地であるにも関わらず，頼時は衣川の根拠地を遠く離れてこの地に城を構えた。その目的は不明なるものの，茲（ここ）は温泉湧出の地であり，多賀の国府と秋田城との来往の途中にも当たり，敵地掠略の上から見れば枢要の地点でもあったのだろうか。

安倍氏は斯(か)く南方に侵入したのみならず，出羽方面にも安倍館(あべたて)と称するものがあるとの口碑口伝(こうひくでん)もあり，この方面にも手を延ばしたと思われる。

山形県西村山郡白岩町の白岩城址は，前九年の役源頼義，義家の柵を設けた所と伝えられ，特に東田川郡大泉村字大鳥の大鳥城址は，康平年中（安倍氏源氏と対戦中）大鳥太郎頼遠(よりとお)の居城であったと伝えられている。大鳥は地名を姓としたので，本姓は安倍であり，今も一村挙(こぞ)って安倍を姓とし，尚多くの武器を所蔵しているのみならず，しかもこの地の風俗言語は古風で全く別天地の観があることから，以前より安倍氏はこの地を領しており，安倍氏滅亡後もその余族がこの地に閉じこもり，世間の眼を遠ざけていたのではあるまいか。土地柄も最上川の支川赤川の上流大鳥川の水源大鳥湖に近い高安山の麓の深山渓谷にあるのを見ると，何等(なんら)か安倍氏と密接な関係があるものと想像される。

要するに安倍氏の勢力は奥州六郡に止まらず，群外の遠近にも及ぼしたことは事実で，故に当時の陸奥守が安倍氏討伐を企てるに至ったものである。

5　鬼首の戦

激しくなる安倍氏の横暴を見かねた時の陸奥守藤原登任(のりとう)は，このまま見過ごすべからず頼良討つべしと決し，先(ま)ず国府に近い鬼切部の塞柵を攻撃することとした。

しかし安倍氏の勢力は強大であるのみならず，鬼切部は出羽への間道上に当たるところから，当時秋田城介(あきたじょうのすけ)であった平重成の加勢を得，彼を先鋒とし自らは兵数千を率いて続き鬼切部へと向かったが，この報に接した頼良は逸早く諸郡の兵を集めて敵を迎撃，官軍は大敗死傷者多数に及んだ。鬼切部は今の玉造郡鬼首(おにこうべ)のことで，以前には鬼切辺とも書いた。鬼切部は温泉湧出地のみならず，古来馬の産地として名高く，佐々木高綱が宇治川の先陣に乗用した池月はこの地の産である。

これはその後伊達候の奨励があったものの，当初安倍氏が居城として以来，彼の意志によって発達したものであろう。何故なら斯かる山間僻地に孤立した産地があるのは特殊な理由があると同時に，安倍氏はまた夙に馬匹の産出を奨励し軍用に供したからである。しかも頼良の居城が轟温泉に近い群巒聳立（山々が聳え立つ）の間にあり，一名鬼鎧城とも称され，この付近を軍澤と云うのはこの戦役が名残と思われる。

鬼切部の戦闘は異説多々あり，ある者は頼良は登任と重成の兵が合する前に，先ず重成軍を鬼切部に破り，転じて登任軍を他の方面で破ったと云うが，両軍の兵を併せたことは陸奥話記に記されている。且つ頼良が鬼切部に居館を構えたことは，今も尚その館址があり口碑も伝わっている所を見ると，この戦いは遭遇戦ではなく，また話記に「頼良諸郡の俘囚を以て之を拒ぎ，大いに鬼切部に戦う」とあり，古人は周到に字句を用いたことから，頼良が防御戦に勝利したことは明らかである。のみならず，これを遭遇戦とするのは，根拠地を磐井郡に有する頼良が，遠く懸絶した斯かる山間僻地に敵を迎え撃つことは理論上妥当を欠くのみならず，登任が磐井郡に通ずる本道より七里も離れた鬼切部で重成の兵と合流するのは了解に苦しむ。又もし官軍が兵を合する前に，頼良が機先を制して先ず重成の軍を鬼切部に破り，更に登任が軍を多賀の国府から何れかの集合地点に達する途中で撃破したものとするのは，理論上は都合良いが，その形跡は全く無く根拠なき想像と云わざるを得ない。

功と切の誤字とも云われる。

6 開戦の動機

鬼切部に於ける敗報が京師に伝えられると，これまで放蕩三昧に日を送っていた有司百官は大いに驚き，種々評議を凝らした。その結果当時東国に最も武名高かった源頼義を追討の任に当たらせるこことした，時に永承六年であった。頼義は頼朝五世の祖であり，父頼信以来多く東国に赴任して武威を振るったのみならず，以前相模守として任地にあり，克く将卒を慰撫して彼等の間に重きを為していたこともあり，この任に選抜された。

斯くして頼義は陸奥守兼鎮守府将軍として追討の印綬を帯び，一族郎党と共に東国へ下向任地に着いたが，翌永承六年後冷泉天皇祖母･上東門院（藤原道長息女中宮藤原彰子）の病気快癒祈祷の為に大赦が行われ，頼良は罪を赦免された。頼良大いに喜び速やかに帰順し頼義に仕えた，この時頼良は頼義と同音であることを臣下として遠慮し，頼時と改名した。

その後四年間陸奥は平穏無事であったが，天喜四年（1056年）七月頼義の任期満了により，彼は胆澤の鎮守府に数十日滞留して最終事務処理を為した，この間頼時は頼義は勿論士卒にも駿馬金宝を献じ大いに歓待に務めた。

奥羽諸国が如何に馬匹，金鉱に富んでいたかは，この一事を以て見ても推知できる。

しかし「好事魔多し」，折角和解した両軍の間に災厄突発，再度兵火を交えねばならぬ事態となったことは安倍氏にとって遺憾の極みであった。頼義が一旦整理を終え，胆澤城を発して国府に戻る途中阿久利川（磐井川，阿久利国音近く）の河畔で宿営していると，その夜頼義の武将藤原光貞（藤原説貞の子）の営を襲って人馬を殺傷した者があったとの報を受けた。翌日頼義が光貞を招き詮議，近頃誰かに恨みを得た覚えはないかと糺した。光貞答えて，嘗て頼時の長男貞任から我が妹を娶りたいとの申し入れがあったが，彼は賤しい門族なのでこれを許さなかった，恐らくこれを根に持っての暴挙であろうと云った。これを聞いた頼義は大いに怒り，早速貞任を召してその罪を糺(ただ)そうとした。依って先ず父頼時にその旨を云い伝えると，頼時は一族郎党を会し意中を述べ可否を諮(はか)った，即ち「貞任不才と云えども親子の情を以て彼の死を座視できぬ，たとえ一戦交え一族亡びようとも後悔せず，断固として拒否する」……と。一同これに賛同し，且つ泥岩で関を塞げば誰も容易に破ることは出来まいと声を上げた。遂に衣川の関を閉じて通さず，再び反旗を翻すこととなったが，事ここに至った経緯を詮索すれば，貞光の営を襲った者は果たして貞任や否や，頼義が単に貞光の言葉のみに依り貞任処分としたのは，些(いささ)か早計に過ぎたきらいもあり，頼時の境遇を推測すれば寧ろ同情を禁じ得ない。

光貞ではないか？

7　永衡(ながひら)誅(き)らる

頼義の怒り凄まじく，遍(あまね)く兵を募ると坂東の将士誘い合い集まった人馬幾萬に上り，輜人(しじん)戦具(せんぐ)重畳(ちょうじょう)して野を蔽うほどであったという。（略）

斯(か)くも官軍の軍容整ったのを見てか，頼時の女婿亘理権太夫藤原經清，同じく伊具十郎平永衡の二人共に舅(しゅうと)頼時に叛(そむ)き，私兵を率いて馳せ参じた。軍備整い頼義が全軍率いて衣川に殺到する途中でのこと，或る人の「永衡はもと前国司登任に随従して当国に下り，その厚遇により一郡を領したにも関わらず，頼時の娘を娶って以来，前の戦役には旧主に叛き頼時に与した不忠者である。今たとえ味方を装うとも，そのうち必ず敵に内通し，わが軍の動静謀略を漏らすだろう。又彼が我が兵との違い際立つ「銀(しろがね)の兜(かぶと)」を被っているのは，敵兵に射られぬ為の目印である。その昔漢の世の黄巾赤眉(こうきんせきび)の前例もあるので，速やかに彼を斬り内応を断つべきである」との讒言(ざんげん)を信じた頼義は，直ちに永衡とその腹心四人を捕え，詰責して斬処した。

これを知った永衡と相婿関係にある經清は，何時の日か自分も永衡の轍(てつ)を踏む身の危険を察し，意を決して頼時に与することとし，一計を案じ「頼時が間道より兵を放ち，多賀の国府を攻め，将士の妻子を虜にしようとしている」との流言を放った。これを聞いた官軍の将士は驚き，頼義に一旦国府へ帰還すべしと勧めたので，彼もその言葉を入れて騎馬数千を率いて，多賀へ馳せ戻った。

頼義は多賀へ発つ前に，気仙郡司金為時（こんのためとき）等に敵を攻撃させたが，頼時は僧良照に防戦を命じた，為時は後援無く唯一戦して退却した。經清はこの隙に乗じて兵八百余人を率いて，頼時軍に投降した。

一方京師では頼義が任期満了により，新たに高階經重（たかはしつねしげ）を国司に任じ，東国へ下向させんとしたが，彼は陸奥は今戦乱半ばと聞き，辞退して任に赴かないという有様で，当時の在京武人の意気地無さ加減が推測できる。従って朝議は止むを得ず，頼義に重任を命じ，再度討伐を継続させることとしたが，斯かる時に枢府の高官が，朝命を間を置かず変更して，恬（てん）として顧みない事態は，やがて彼等が次第に勢力を失墜する前触れであった。

8　頼時の戦死

天喜四年は国内騒擾に加え，大きな兵力の離合集散など，地方農民に少なからずの損害を及ぼしたせいか，飢饉が伝えられるに至り，糧食の供給できず，兵を動かすことが出来なかった。殊（こと）に頼義の為に兵を率いて来援した武家中の多くを占めた坂東将士は，任期満了とともに帰国した者が多かったようである。依って兵力の不足と糧食の欠乏の為，さすが豪勇の頼義も策をめぐらす余地なく，いたずらに年を越した。明けて天喜五年の春，頼義は国解（こくげ）を奉じ兵力と糧食の不足を訴え，幾度も官符を要請した。依って八月京師は東山東海の諸国へ官符を下し兵糧を徴発することとし，官使として太政官吏生紀成任（きのなりとう），左弁官吏生惟宗資行（これむねすけゆき）等を東国へ差遣し，徴発事務を検分させる等したが，苦心の割にたいした効果は挙がらなかった。しかしこの間頼義は一計を案じ，特に宣旨を請い金為時，下毛野興重等を遠く敵の背後に迂回して，奥地の俘囚を説得させると，鉇屋（津軽郡内），仁土呂志（三戸郡内），宇曾利（上北郡か），三地の酋安倍富忠を始め多くの夷人が官軍に従ったので，富忠これを率いて頼時を討とうとした。頼時はこれを聞くと，手兵二千を率い，富忠の許を訪ねその利害を説こうとしたが，途中険阻に設けた富忠の伏兵に遭遇，戦うこと二日，偶々流れ矢に中り負傷，一旦鳥海柵へ兵を引いたが，七月廿六日これが因で亡くなった。頼義が為時等を遠く迂回して敵の背後より攻めようとしたのは，北上川上流の地域を陸路より征服するより，寧ろ水路の方が利便であった北辺（今の青森県地方）が却って味方に誘致し易かったことを証明するものである。又この時の戦いの地点が陸奥話記には明らかでないが，多分馬淵川の流域ではなく，その東方を流れる新井田川の地区であったろうと思われる。何故なら現に同川の沿辺で八戸町南方一里余の高陵にある新井田村，是川村，島守村付近には今尚蝦夷が使用した素焼きの土器や矢尻，または他の珍奇な石器を発掘するのみならず，島守・支・世賢等の村民間には合戦場，勝負屋敷等の字名が伝えられており，ほぼこの戦いと吻合するからである。

富忠は戦ってはいない，本家に兵を向けてはいない。陸奥話記には「険阻に伏兵を設けて戦った」のみの記述で，戦いの地点は明らかではないが，明らかに出来る筈がない。両軍が戦えば必ず地名が残る，戦いの地が新井田川の地区であったろうと等は無駄な推測である。富忠の伏兵とは清原・頼義・為時の間者である。又「流れ矢」は頼義・清原・金為時の陰謀と見る。

又頼時が負傷後一旦帰還して死んだのは，胆澤郡金ヶ崎の鳥海柵ではなく，この地に近い二戸郡の同名鳥海であったと思われる。

頼時傷死の報を聞いた頼義は，九月再び国解を奉じ，この情報の申告と共に頼時死すとも尚その残党が服従しないので，この際官符を賜り諸国の兵と糧食を徴発し，速やかに誅伐することを要請した。しかし京師では多くの公卿の間に種々異説が出て何等の沙汰も無かった。頼義は止む無く意を決し，貞任を討つこととし，その準備に掛かった，これが有名な黄海の戦いである。

9　官軍の全滅

天喜五年十一月，頼義は兵三千人を率いて多賀の国府を発し，討伐に向かった。

しかし頼義は寡兵である為，主力を以て衣川方面には前進せず，北上川の左岸（川の下流に向かって左の岸）に備えた貞任の武将金為行の河崎柵（東磐井郡門崎付近）に向かい進んだ。

この報に接した貞任は，河崎の孤城心許なしと見て，自ら精兵四千余騎を率いて急行し，更にその前方黄海（今も同名の地あり）に前進し逸早く地形の利を占め，ここで官軍の到着を待ちつつあった。

元来当地方は当時交通開けず，道路険悪な上に既に冬期の時節となり，風雪激しく，この為官軍の輜重（軍需品）が続かず，疲労困憊極に達した。これを探知した貞任は，好機逸すべからずと新進気鋭の兵を引連れ，官軍を迎撃大いにこれを破り，数百人の死者を生じせしめた。けれども義家はもとより驍勇絶倫の人，殊に弓術の名手であり，大鏑矢を以て敵将を射斃し，重囲の裡に陥っても白刃を冒して突入，敵の左右に馳駆して空矢なく，その矢面に立つ者はなかったと云う。されば敵も歎称して，彼を八幡太郎義家と称するに至ったとやら。けれども大勢既に官軍の不利に帰し，従兵は或いは遁走，或いは死傷して，残る者は頼義・義家の外，藤原景通，大宅光任，清原貞廣，藤原範季，同苗則明等僅か七人に過ぎなかった。勝に乗じた貞任は敵の全滅を期して，些かも攻撃の手を緩めず，更に手兵二百余騎を以て，左右に翼を張り包囲攻撃に転じたので，飛矢雨の如く襲い七人は頗る苦戦に陥った。この時頼義の馬が流れ矢に中って倒れると，景通馬を獲て彼を乗せ，次いで義家も又馬を斃されたので，則明は敵の馬を奪って彼を援け，危うく虎口を免れた。けれども義家がしきりに敵将を射殺すのと，光任等の数騎が死を決して戦うので，敵が一瞬動揺した隙をつき，官軍は一方の血路を開き辛うじて重囲の外に脱出できた。

> この七人は3〜4日の数日間河崎の柵で捕虜となっている。貞任が何故この七人を助けたかが岩手の人達の大きな謎となっているが，それが貞任の巨人たる所以である。源（清和）と安倍（ゑ王）の原点は宇佐八幡にあると云われているので，この時点で源義家は安倍の陣営に取り込まれたものと思われる。

斯くて官軍は戦い利無く，遂に敗退，意気消沈で帰還した。此の戦闘中勇戦した人々を挙げると，相模の人佐伯經範，藤原景通の長子景季，散位和気致輔，紀為清，頼義腹心の臣下藤原茂頼，平不敗と云われた勇猛の聞こえ高い出羽の人散位平国妙等である。

10　頼義の窮境

黄海の戦いに官軍が全滅した為，今後の作戦計画に大打撃を与えた。頼義はこの年十二月早々国解を奉じ云うことには，諸国の兵士も糧食も唯徴発の名ばかりで，何も到着してない。殊に当国の民は悉く他国へ逃れ，兵役に就く者がいない。そこで先の出羽の国司源兼長に，逃亡の民を取り糺すよう申し送ったが，一向に顧みず，これでは到底討伐は出来兼ねると言上したので，朝廷は兼長に代えて源齋頼を新たに出羽守に任命し，頼義と協力して貞任を討たせようとした。

しかし齋頼はしばしば恩賞を蒙りながらも，一向に討伐に向かう気配なく尻込みする有様であった。累代の国司が斯くも卑怯な人物であったのを見ても，当時安倍氏を制御し得る者には余程卓越した人物を要したことは明らかである。そこで頼義は源齋頼を頼りとせず，却って俘囚の長清原武則に助力を請ったのも，国司の不甲斐なさを物語る。しかもこれのみならず官符を諸国に発しても，軍兵も糧食も徴発に到らぬ有様，これを見ても当時の朝廷の綱紀の緩み，行政の不在が明らかである。

斯(か)くて頼義は進退に窮するに反し，貞任等は益々猛威を振るい，諸郡を横行，人民を従え，甚だしいのは例の經清に，甲兵数百を率いて衣川の関を出て，諸国に「白符を用いよ，赤符を用いるな」と触れさせ，官物を徴発させるという体たらくであった。しかし頼義はこれを制する能力なく，唯傍観するのみであった。

白符は安倍方，赤符は朝廷方の徴税札である。

明けて改元して康平元年，それより五年間と云うもの，頼義は何も為すことなく，徒(いたずら)に敵の跳梁を恣(ほしいまま)にさせたのも惨めであった。しかし彼は己一人の力乃至(ないし)朝廷の威力を以てしても，到底貞任一味を討ち得ないことを知り，しばしば甘言を以て出羽山北の俘囚長清原光頼及びその弟武則を説き，官軍勧誘に努めた。

しかし彼らは何故か容易に応じないので，頼義は奇宝珍品を贈り歓心を求めたのも気の毒であった。ところが康平五年春，再度頼義の任期が満了したので，京師から先に一旦命を負い乍ら辞退した高階經重が再び陸奥守を拝任して多賀の国府にやってきた。しかし人心は經重を顧みず，頼義の指示を仰ぐという有様なので，經重は致し方なく，あたふたと京師へ帰ってしまった。朝廷では命令通りにならず，紛議を重ねる始末であった。

この間或る年の九月貞任等が官軍を挑発，勝敗決せずに別れた白兵戦があった，貞任方死者百余人，負傷者九十余人，官軍死者八十余人，負傷者六十余人であったと云う。

11　官軍の前進

こうして頼義は朝廷の力を頼むに足らぬと思ったものか，只管（ひたすら）出羽の清原光頼，武則に来援を請った甲斐あって，漸（ようや）く武則は一族郎党一万余を率いて陸奥への出陣となった，時に康平五年七月であった。

頼義大いに喜び，自ら三千余人を率いて，同月廿六日多賀の国府を発し，九月八日を以て予め示し合わせた集合地，栗原郡営岡（たむろがおか）（岩ケ崎町付近の尾松村に営岡八幡（たむろがおかはちまん）あり）へ到着，ここで両軍併せて一隊とし，頼義・武則は悲喜交々語り合ったが，殊に頼義の数年間の苦労を思い遣れば，その喜びは推測に余りある。

以前より営岡（たむろがおか）は衣川に通ずる駅路に当り，また出羽への通路でもあったので，この地を選んだのであろう。又その昔田村麿将軍が蝦夷征伐に際し，此処で軍を整えたと云われる由緒ある地で，その兵営に要した塹壕は此の頃まで残っていたが，由来この地を営岡と称したと云われる。ここに数日淹留（えんりゅう）し，同月十八日攻撃部署を定めて，下の七隊とし各指揮者を任命した。

第一隊　清原武貞（武則の子）
第二隊　橘　貞頼（武則の甥）
第三隊　吉彦（きびこ）秀武（武則の甥にして聟）
第四隊　橘　頼貞（貞頼の弟）
第五隊　源　頼義
第六隊　吉美侯（きびこ）武忠
第七隊　清原武道

八月九日であろう。ここに源義家（みなもとよしいえ）（八幡太郎）が出ていないことに注目。

但し頼義の第五隊は，これを三隊に分け，一隊は頼義自ら率い，一隊は武則，他の一隊は国内の官人を以て編成したが，これが官軍の帷幄（いあく）（作戦司令部）である。

出陣に際し武則は行軍への忠節と，身命を賭す覚悟を示し，故に全軍の士気大いに振るった。この日官軍は営岡を出発，松山道（岩ケ崎より西磐井郡赤児，市野等を経て衣川に通ずる駅路）を北方に向かい前進し中山大風澤に宿営した。中山大風澤とは，赤児・普賢堂付近の土地であろう。

12　小松柵の戦

翌十七日官軍は萩馬場に前進したが，此処は僧良照が居た小松柵へ五町ばかりで，恐らく萩荘村を指したと思われる。又小松柵の地点は異説まちまちで未だに定説がないが，萩荘村に続いた上黒沢村がその位置であろう，何故なら安藤系図に，小松館に居た良照は黒沢氏と称したりとある（略）

官軍は前夜の宿営を撤収して小松柵に向かい前進した。この間中山の険道ではあるが距離が近いのと，凶日であるため即日攻撃開始するとは考えなかったので，兵卒を充分休養させ，日没前に漸く到着した。

明日の攻撃を如何にすべきか，武貞と頼貞が軍の前方に出て地形の偵察をしていると，先鋒隊の血気に逸る歩卒が，柵外の家屋を焼き払ったのに呼応して，城内でも矢石を乱発，互いに先頭を争って突進する有様となった。

禁じ手を使う清原（収穫期に戦をすること，民家に火を放つこと）

これを見て頼義は武則に，攻撃は明日の手筈ではあったが，先鋒隊は既に戦いを開始した，この機を逃さず一刻も猶予せず攻撃すべきと命じた。武則もこれに応えて兵を用いるのは今を措いて何時あろうとばかり命令一下，先ず騎兵で要害の地を防備させ，歩兵を正面の柵下に肉迫させた。

この時官軍の兵士深江是則，大伴員季等が決死の勇士二十余人を率いて，剣を以て岸に足場を作り，矛を杖として岩に登り，柵を切り崩して城内に乱入したので，城中は騒擾し遂に潰走した。しかし敵将宗任は八百余騎を率いて自ら城外に出て逆襲に転じた。その鋭い攻撃に戦い疲れた前衛は薙ぎ倒されたので，頼義は急ぎ五隊の勇士平眞平・菅原行基・源眞清等を呼び寄せ，前軍に加勢させ攻撃させた。彼等は元頼義麾下の坂東の精兵，万死に一生を忘れる猛者であり，漸く宗任の兵を破り退却させた。又第七隊の武道が部下を率いて要害の地を固め，敵の退路を抑えていると，宗任が予備兵三十余騎で逆襲させたが，城塞に火の手があがるのを見て退却した。この戦闘で宗任の軍は六十余人の死者と多数の傷者を出し，官軍は死者十三名，傷者百五十名を出したが，激烈な戦闘であった為疲労甚だしく敵を追撃することは出来なかった。

自分の城に火を放つ者はいない。

13　貞任の逆襲戦

小松柵攻略では官軍の損害も多大であったので，一先ず兵を休め干戈を整えることとしたが，折柄の霖雨に遭い空しく数日を送った。更に官軍はこの時兵糧が欠乏，兵を動かすことが出来ない。その上宗任は密かに兵を磐井郡以南の地方に派遣，輜重を奪い兵站員を捕えさせたので，官軍の窮状は一通りではなかった。仕方なく俄に兵千余人を栗原郡へ派遣し後方に備えさせると共に，陣営を去ること四十里の磐井郡仲村（花泉村南辺の字中村）は，当時田畑が開け農民は豊かであったので，此処へ兵三千余人を送り，稲や粟を刈り取らせた，この間十八日を要した。

この情報を探知した貞任は，官軍は糧食欠乏し，その確保の為に兵士は四方に散り，営中に留まる者僅か数千人に過ぎないとのこと，この機に乗じて大軍を以て虚を衝けば，必ず破れるであろうと九月五日，自ら精兵八千余人を率いて磐井川を渡り，白刃閃かせ地響き打って官軍を逆襲した。

この時武則，頼義に対して云うには，敵は策略を誤った，この戦いで貞任の首を討つことが出来るだろうと。頼義不思議に思い，敵は我が兵の四散を知り，その隙に乗じて襲撃してきたのは的を射た策略なのに，貴下は策略の誤りと云うは何故かと尋ねた。武則重ねて云う，官軍の兵は常に糧食欠乏しているので，敵が雌雄を決しようとするならば，寧(むし)ろ剣を交えて戦わない方が策略である，さすれば我が兵は疲れ果てて長く戦うことが出来ずに，逃亡し或いは討たれることであろう。思えば敵はこの策に気付かず，自ら戦いを挑んできた，これこそ正に天佑であり，将軍に幸いするもので必ず我らが勝利すると。

頼義これを聞き了解し，且つ云うには，昔句践(こうせん)は范蠡(はんれい)が謀を用いて会稽(かいけい)の恥を雪(そそ)ぐことを得たるに等しく，今私は貴下の忠節に依って，朝威の尊厳を示すことが出来れば，この戦いに命を惜しむものではない。武則も又云う，今私は将軍の為に命を棄てることは鴻毛よりも軽いものである，寧(むし)ろ敵に向かって死んでも，背いて生きることはしない。そこで頼義は長蛇の陣（山地に於ける攻撃防御の隊形）を張って敵対し，やがて鬨の声をあげて両軍接戦し，殊(こと)に官軍は力戦奮闘して正午より酉の刻（午後六時）に及んだが，戦闘中義家及び弟の義綱等は最も勇戦し，敵将を射倒し或いは旗を奪ってその鋭鋒を挫(くじ)いたので，貞任等は遂に退却の止む無きに至った。官軍は勢いに乗じて追撃，磐井河畔へ追い詰められた貞任は応戦の暇も無く，深淵に溺れる者，また懸崖から墜落する者等惨状を極めた，射殺されたもの百余人，馬三百余頭を失った。考えれば上黒澤の平坦地での激戦の後，貞任方は磐井川を渡河して退却しなければならぬのに，この付近は両岸懸崖であった為，一層困難したと思われる。殊(こと)に馬匹三百余頭を失ったのは，適当な渡河場がなかった結果であることは明白である。陸奥話記には官軍の死傷者は載っていないが，半日の激戦より推測すれば，損害は決して少なくはなかったであろう。いや，過日の黄海の戦いに比すれば，数千の兵を率いて戦った貞任方の損害としては少な過ぎるので，寧ろ日没となったので自ら退却したものと見るのが至当である。

頼義は敵の退却を知ると直ちに追撃に転じ，暗夜の行動は困難であるが，今手を緩めれば，敵は明日再び元気を恢復(かいふく)するであろうとして，武則に更なる攻撃を命じたので，彼は精兵八百を率いて追撃，別に命知らずの兵五十人を分けて磐井川北岸の高梨宿及び石坂柵（磐井川北岸，今の字要害か）に逃げ込んだ敵に対し，密かに西方の山地から営中に侵入させ，火を放ち，これを合図に三方から鬨の声あげて攻撃したので，油断していた貞任方の陣中は擾乱し，味方討ちまでする有様であった。

さても死傷者頗(すこぶ)る多く，遂に柵を棄てて衣川関に逃げ込んだが，何分暗夜のことであり混雑を極め，谷へ墜落又道を失うなど，衣川に到る三十余町の間に死屍累々(ししるいるい)，死山血河(しざんけっか)の惨状を呈したと云う。頼義は一旦戦場より営に還り，士卒を饗応し兵を整えながら親しく陣中を見舞い，傷兵を慰め治療させたので，士卒は感激し死を賭しての奮戦を誓った。

14　衣川の戦

以上の戦闘は本防御線に対する前進陣地の戦いと云うべきものであったが，貞任は戦敗の結果，前進陣地を棄てて本防御線の衣川関の線内に退却した。

さて，衣川の戦闘を述べる前に，先ず衣川付近の地形について概説する。往昔(おうせき)北上川は今の位置と異なり，東方束稲山(たばしねやま)の麓に沿って流れており，安倍氏経営の衣川へは次の三つの道路が通じていた。

一・関山道(せきやまみち)，往古の駅路で上黒澤より磐井川を渡り，赤荻から達谷(たっこく)を経て中尊寺へ達するもので，これが本道であったが所謂(いわゆる)衣川関はこの道路上にあった。しかもこの関山道は険阻な隘路(あいろ)であり，函谷関(かんこくかん)にも比せられる要害であった。

一・関下道(せきしたみち)，磐井川の下流から山目(やまめ)を経て平泉に出るもので，関山道に対してこの名があったが，然し間道であった。

一・上津衣川道(かみつころもがわみち)，磐井川の上流，五串(いつくし)付近から南股川に出て，上衣川に至る街道である。

この日九月六日正午，頼義は高梨宿に到着，武則と協議して衣川攻撃の部署を定めたが，武貞に中央の本道を，頼貞に上津衣川道を，武則には関下道を前進攻撃させることとし，既に進発して戦闘を開始したが，折柄（おりから）の霖雨（りんう）で渓流は岸を毀（こぼ）ち道を断ち，関山道にあっては樹を押し流し谷を塞ぎ，崖を崩して道を埋めたので，攻撃は捗々（はかばか）しくなかった。唯（ただ）遠矢を放って戦いを挑むに過ぎなかった。この日官軍は死者九名，負傷者八十余名を出したと云う。

茲（ここ）で最も考慮を要することは，衣川関，衣川柵及び琵琶柵（びわのさく）との位置である。

古来この位置につては異説区々（まちまち）で，判別に苦しむところである。殊（こと）に後年藤原氏が平泉を経営するに至り，安・藤二氏の遺跡は互いに錯綜（さくそう）した為，一層曖昧となった。

けれども記録と伝説と戦闘の経過から，総合して考えれば次の様に断定しても良いと考える。

一・衣関は中尊寺西北方，今の観音堂北麓（高平眞藤氏も同説）。

一・衣川舘は衣川の上流，南股川と北股川との合流地点にあり，高さ三十丈余り構造凹字形で，南東北の三面が衣川に囲まれていた。

又衣川柵は舘の周囲を固めた砦を指したので，つまり居舘を云えば衣川舘，砦を云えば衣川柵である。

一・琵琶柵は衣川柵の対岸にあり，上衣川南股川添の柵で，衣川下流のそれは別物である。

但し，衣川舘は貞任の父祖代々の居舘であり，後年源頼朝が歴覧したのもこの地点である。又琵琶柵は藤原業近（ふじわらのなりちか）の居城で，地元では貞任の兄，成道の居舘であったと伝えられているのは，業（なり）を成（なり）と，近（ちか）を道（みち）と誤って伝えたものと思われる。何故ならば，陸奥話記には業近の柵の陥るのを見て貞任が走ったとある以上，この柵に成道を配するのは不自然であるのみならず，いやしくも一国の城主成道の名は記録に残らぬ筈はないと思うからである。

業近守備の琵琶柵に向かった官軍右翼隊の武則は，衣川を隔て柵下近くに肉迫し，対岸の状況を偵察すると，連日の降雨の為水量は増大し，渡河は不可能であった。

しかし川幅狭く両岸より樹木が曲出，枝が交錯して水面を蔽っているのを見て，彼は一計を案じ，軍中より身体軽量な久清という者を選び，枝を伝って対岸に渡らせ，両岸の間に縄を張り，更に三十余人の兵卒を送り，密かに業近の営中に忍び込み火を放ち，敵兵七十余人を殺傷させたので，業近の柵に火の手が上がるのを見た貞任は，退路を断たれるのを恐れたか，慌てて守りを棄て鳥海柵に退却してしまった。

即ち翌七日を以て衣川柵は陥落した。

この時義家は貞任を急追し，弓に矢を番（つが）えながら彼を呼び止め，申すことあり暫（しば）し引き返せと云う，彼が振り返った時……

「衣の舘は，ほころびにけり」

鎧の糸，衣川柵の守備はほころびましたよ

と下の句を詠みあげると，貞任はすかさず

「年を経し，糸の乱れの苦しさに」

長年経てば，東北の縦横の繋がりの糸も，本物の鎧の糸も戦乱でほころび乱れ，今は心が苦しい（民家が焼かれ，多くの犠牲者が出た）

と上の句を即吟したので，義家はその風流の道に堪能なるを感じ，彼を許したと人口（じんこう）に膾炙（かいしゃ）されているが，恐らくは後世好事家のこじ付けであろう。

ある学者は，これは後付だ，貞任は即座にこれを返せる筈がないと云ったそうであるが，ではその人に時間とヒントを与えるので，次に答えて頂きたい。

返句のヒント　格（かく・えだ・のり）

着物の袴緻は綻びにけり（記物の故知は綻びにけり）

衣川柵よりの退路に当たる石生坂（いしふざか）は両人戦歌の地で，始め一首坂（いっしゅざか）と称したのを，後世石生坂に転訛したのだとさえ伝えられている。

15　官軍の追撃戦

衣川の関を破ると，官軍は引き続き前進，瀬原（七高山観音堂），白鳥（前澤町大字白鳥）及び大麻生野（白山村大字上麻生）の三柵を陥とし，この間一人の捕虜を捕えて尋問の結果，これまでの合戦で敵は数十名の将帥を失ったことを知った，とりわけ散位平孝忠，金師道，安倍時任，同貞行，金依方等は貞任・宗任の一族で，驍勇剽悍の人達であったという。

越えて十一日未明，鳥海柵（胆澤郡金ヶ崎村字西根）を攻撃することとなったが，此処に居た宗任・経清等は官軍の到着前に，早くも厨川柵に退却して，貞任等と共に最後の決戦準備を急いだが，これは中途の小戦闘で無駄な日を費やすことをおそれ，果断な処置をしたものと思われる。

一方頼義は軍を率いて鳥海柵に入り，士卒を休ませている時，城中の一屋から数十甕の酒を発見し，士卒は争ってこれを飲もうとした。頼義これを遮り，敵は毒酒を以て我軍を欺こうとしているに相違ないと，これを制したが，偶々雑兵の中でこれを飲んで害がないことを知ったので，皆これを傾け万歳をしたと云う。

頼義は改めて武則に対し，私は鳥海柵の名は以前より聞いてはいたが，これまで実際に見たとは無かった，しかし今日貴殿の忠義によって，ここに入ることが出来たのは，何にも増して貴殿のお蔭である，私のこの満足感は顔色に表れているだろうと云った。武則これに答えて，閣下は皇室の為に節を立て，風雨をものともせず，甲冑に蟻虱が生ずるまで十余年も軍務に苦心してきた，なればこそ天地の神は閣下の忠節に報い，将卒はその義に感じて今日の結果を見たのである。武則如きは，唯鞭振り上げて軍に従うばかりで何の功労も無い，今閣下の容貌を見ると白髪は却って黒色を帯びてきたが，もしこの上厨川柵を破り貞任の首を獲れば，恐らく鬢髪全てが黒くなり，身体もまた太って来るでしょうと云った。頼義は更に云った，貴殿は身内を率い，大軍を以て常に自ら敵の攻撃に当り，陣を破り城を陥すこと宛ら円石を転がすようである，即ち私は貴殿に依って忠節を遂げることが出来たので，貴殿の功は私の上にある，但し白髪の黒色に変わったのは同感であると云った。

次に官軍は正任の黒澤尻柵を攻めこれを陥とし，敵三十二人を斃(たお)し，多数を負傷させ，続いて鶴脛(つるはぎ)（稗貫郡鳥谷崎(とやがさき)），比與鳥(ひよどり)（紫波郡陣ケ崎）の二柵を破り，十四日厨川柵(くりやがわさく)に向かって前進した。

16　厨川柵の地形

貞任は戦いに利無く一旦衣川柵を放棄すると共に，弟等に中間の柵を一時防衛させ，その間に急遽厨川の根拠地に退却して，ここで最後の決戦に挑もうとしたのである。

元，厨川の地形は現在とは著しく異なっていたようである。今ここに厨川役(えき)を説明するに当たり，先ず地形の概要を述べておく。陸奥話記によると，厨川柵は西北に大澤(だいたく)を控え，二面は河を隔てて河岸三丈有余，璧立して道無し，とあるがこれを現在の地形に配慮して見れば，大澤は今の騎兵営西方の沼沢と，その周囲の水田がこれに当り，当時は今より一層深く，厨川村高台の西北を環周していたものであろう。

次に二面河を隔ててとは，東方の北上川と南方の厨川（今の雫石川）とを指したのは勿論，特に雫石川は現在の位置より河心は遥か北方に寄って流れ，天昌寺台一帯の高地脚に沿って殆ど直角に北上川と合したものである。

この様に二面河に対し，大澤が西北を画した高地一円は，安倍貞任が此処を根拠に覇を称えた所で，その要所々々に柵を構え，舘を築き居城とした。即ちここに舘と云い柵と称するのは，後世の進歩した城について云えば，柵は城の外郭に当り，舘は内部の建築物である。築城法の幼稚であった当時は，単に要害の地を選んで，その周囲に材木を編み並べて柵と称し，これを「かき」と訓し，後に柵も城も共に「き」と読んだ。従って工法の未熟な当初の柵では，天然の地形の選択を要するので，殆ど何れの柵も二川の合流地点を選んだと同時に，その地形は懸崖でなければならなかった。この意味に於いて厨川は理想の塞柵であったと思われる。貞任がここで死活の決戦を試みようとしたのも当然である。もっとも厨川柵は実際は天昌寺台方面にあったもので，今の北上川沿いのそれとは自ずから異なっていた。

即ち天昌寺台付近には，大舘・勾当舘・里舘（地元では「さたて」と云われている）の名が残っているのみならず，その周囲の濠も歴然とこれを識別できる。又話記には厨川柵より七八町ばかり隔てた地に姥戸柵があるとしたのは，所謂今の厨川柵を指したもので，これを以て北上川方面の警備に充てたものと見える，ところがその廃墟が完全に保存されたので（鎌倉時代に工藤光行の居城となる）厨川の柵名は却ってこれを転訛されたものと思われる。

北上川沿いの柵に厨川の名を用いるのは，不当なるのみならず，官軍が雫石川右岸の太田村に陣地を置いて，厨川柵に対して戦ったのを見ても，厨川柵は雫石川方面にあったのは争われぬ事実である。従って，これより西方一里にある姥屋敷を指して姥戸柵とするのには無理がある。

17　貞任の最期

要害堅固な厨川柵に入り，今や最後の血戦を試みようとする貞任は，戦備を整えて敵の到着を待つと共に，柵外の濠には利刃（鋭利な刃物）を逆さまに埋め込み，地上には鉄蒺藜（蒔菱の様なもの）を蒔いて備えを厳重にした。

十五日官軍は厨川の対岸に到着し，敵の形勢を観望すると，柵内の櫓楼から官軍を手招きしがら来るなら来いと罵り，更に婦女子数十名を楼上に登らせ，歌を唄わせて嘲ったりした。しかし官軍は未だ戦闘開始の時至らずとして，この夜太田村に宿営することとしたが，中太田村の字八丁はその旧趾で，今尚竈の痕が残っている。

翌十六日払暁官軍は部署を定めて攻撃を開始した。頼義は自ら本体を指揮し，正面の厨川柵に向かい，終日悪戦苦闘したが，敵は矢石を雨の如く浴びせ防戦した，近づく者には投石又熱湯を浴びせ，遂に官兵数百人を斃(たお)すに至った。

斯(か)く攻撃は功を奏しないと見て，十七日の未(ひつじ)の刻（午後二時）頼義は士卒に命じて付近の村落の家屋を破壊し，これを運んで濠を埋めさせ，又萱を刈り取ってこれを河岸に積ませてから，頼義馬を下り遥かに皇城を拝して風を祈り，自ら火を放った。

その時，何処からともなく鳩が飛来し，陣営の空を舞った，彼はこれを神鳩と称して拝したという。

時に強風俄かに起こり，炎々雨の如く敵営に降り注ぎ，これより先に官兵(かんぺい)の射た，敵の柵面楼頭に蓑(みの)の如く立っていた矢羽に燃え移り，次いで櫓楼屋舎(ろろうおくしゃ)に及び，城中の男女は大いに狼狽悲鳴を上げて逃げ惑い，士卒は壊乱して深淵に身を投じ或いは自決する有様であった。ここで官軍は機を逸せず，川を渡り攻撃に移ると，貞任は残兵を率いて姥戸柵（所謂(いわゆる)今の厨川柵）へ退却し，一時官軍を食い止め，この間に決死の部下数百名を選び，甲冑に身を固め刀を振るい囲みを破って逆襲に転じた，既に死を覚悟した彼の電光石火の早業は，向かうところ疾風の如く，官軍の死傷者は頗(すこぶ)る多かったが，この時武則囲みを開くよう命じ，横撃して漸(ようや)くこれを壊滅した。

富忠の家来達は良く戦った。

既に生捕りにした藤原経清を頼義は面責し，おまえの祖先は代々我家の郎従であるのに，朝命を忽(ゆるが)せにして旧主に叛(そむ)くのは大逆無道である，今も尚白符を用いることが出来るや否や。経清首を垂れてこれに答えず，頼義は彼を憎むあまり，殊更(ことさら)の鈍刀で首を斬り，その苦痛を長からしめた。

首を上げれば，経清でないことが誰でも分かる，頼義承知の上の芝居である。

又貞任は剣を振るって力戦の後重傷を負って倒れ，官兵は彼を大盾に乗せて六人で頼義の面前に運んだ。彼は色白で容貌魁偉，身の丈六尺有余，腰回り七尺四寸に上る大男であった，頼義は面のあたりにして彼の罪を責めたが，この時僅かに顔を上げたばかりで息絶えた。

貞任は外人に近く，ヘブライの末裔であることがわかる。

18　陥落余聞

ここに少し厨川柵没落以降の安倍氏一門の動静を述べよう。貞任の一子千代童子（ちよのどうじ）は，この時歳僅か十三歳であったが，父の戦死を聞くと同じ様に甲（よろい）を纏（まと）い，敵中に斬って入り奮戦の後虜とされた。彼は為人（ひととなり）容貌美麗にして父祖に似て驍有であったので，頼義はこれを憐み許そうとしたが，無慈悲な武則は後患を残すと頼義を諌（いさ）めたので，遂に斬処された。

武士の情けを知らぬ清原，これが後三年の清原の滅亡に繋がる。民家に火を放ち，収穫期の作物を戦（いくさ）で踏み躙（にじ）り，また刈（か）り盗（と）り，武士の情けを知らぬ者は，たとえ天下をとっても永続しない。

則任の妻には三歳の男児がいたが，正に塞柵陥らんとする時，夫則任に対し朗君死して私一人生き延びるはその道にあらずとして，児を抱いたまま深淵に身を投じて果てた，敵味方ともその義列に感じ入ったと云う。

宗任は大澤を越えて遁れ得たが，後降伏して京師へ送られ，一時義家に愛されてその扈従（こじゅう）となった。

この外重任は斬られ，家任，則任，正任等は降伏し，良照は一旦出羽へ逃げて捕えられたが，死を許され後に宗任等と共に伊予と大宰府に移された。

重任の影武者は宇曽利（うそり）の向（むかい）であろう。

又貞任の次子高星は乳母（うば）に懐かれて，津軽藤崎に隠れ，後その地を領するようになったと云う。元より真偽は判らないが，青森県三戸郡に自ら安倍氏の後裔とする者が居ると八戸町に滞在中に耳にしたが，その調査の機会は無かった。

厨川柵陥落後，貞任・重任・経清の首級は戦勝の将頼義に依って京師へ送られた。

偽首であった。

19　安倍宗任

安倍宗任は降人として京師に送られた後は，義家に愛され彼に扈従（こじゅう）した。(略)

彼の末年は明瞭でないが，京師より大宰府に，更に後四国に配された。

逆ではじめに四国愛媛に送られ，力をつけた為に九州の北松浦郡に送られたが，ここでも力をつけ松浦党となった。

20　安倍氏と藤原氏

以上述べた所は安倍氏一門の終始した梗概（こうがい）（あらまし）であるが，茲（ここ）で留意すべきは頼義に鈍刀で首を斬られた藤原経清の妻である。彼女は貞任の妹で，有加一乃末陪（ありかいちのまえ）と呼び，当時二歳の経清の子を懐いていたが，生来の美人と見えて武則の子武貞に望まれて，幼児諸共彼に引き取られ後妻となった。即ち経清の遺子は後の平泉藤原氏の祖清衡で，武貞は更に彼女に家衡を生ませているので，この二人は異父同母兄弟である。

つまり譬（たと）え安倍氏の正統は絶えても，その血族は藤原氏の名で平泉に栄えたのだから，これを安倍氏の後身と見ることが出来る。この意味に於いて後三年役と平泉の全盛とは，共に安倍氏にとって因縁浅からぬものがある。

前九年役に於いて清原武則は武勲顕著であったので，陸奥平定後，頼義の奏請により鎮守府（胆沢城）将軍の栄冠を担(にな)うに至った。彼は元出羽山北の人で，当国に於いては俘囚の長として最も有力であったことは，安倍氏討伐の状況に依っても，その一端が知れる。又その子荒川太郎武貞は，第一隊の武将として常に陣頭に立ち，勇戦したことも既に述べた。しかし武貞には前妻との間に眞衡という，父祖にも優ると云われた継嗣(けいし)があったが，彼には嗣子(しし)がなかったので，海道太郎成衡（桓武平氏の流れをくむ）を養子としていた。年長じ，成衡の結婚相手を求めたが，国内から迎えることはしなかった，何故なら国内の者は全て彼の従者と見做していたからである。そこで嘗(かつ)て源頼義が貞任討伐の為東国下向の途次，隣国常陸国の多氣権守宗基(たきごんのかみむねもと)の娘に生ませた女を迎えることした。血統から云えば，源家の流れであり，地位から見れば前鎮守府将軍の娘である，眞衡の嗣子の正室として申し分なかった。さて，この新嫁を饗しようと，当国・隣国から祝賀の客引きも切らず，その中に嘗(かつ)て武則の武将(第三隊)として従軍した，彼の甥聟吉彦秀武(きびこのひでたけ)の姿もあった，老齢にもかかわらず態々(わざわざ)出羽より出てきて眞衡邸へ伺った。

丁度その時眞衡は，その護持僧五所の君という奈良法師と碁を打っていたが，秀武は金を堆(うずたか)く盛った朱の盆を持って潜門(くぐりもん)から庭に入り，ひざまずきながら捧げ持って待ったが，碁に夢中な眞衡は顧みなかった。

高齢の武秀は次第に疲れ，年寄りの短気が出たか，盆を投げ捨て，庭の外へ走り出て，持参した酒飯は郎従共へ与え，長櫃(ながひつ)などは門前に打ち捨て，そそくさと出羽に馳せ帰ってしまった。これが抑々(そもそも)後三年役の発端である。

囲碁を終えた眞衡は，秀武が出羽へ立ち帰った事の次第を聞き，大いに怒り，直ぐに諸郡の兵を集めて秀武討伐に向かうこととした。

（完）

陸奥話記の日本漢文を白文抜粋

①　険阻(けんそ)に伏兵（富忠兵を出さず）

天喜五年秋九月，進国解言之誅伐頼時之状佞，臣使金為時·下毛野興重等，甘説奥地俘囚，令興官軍。

於是鉇屋・仁土呂志・宇曾利，合三部夷人，安倍富忠為首発兵，将従為時。

而頼時聞其計，自往陳利害。

衆不過二千人。

富忠設伏兵，撃之嶮岨，大戦二日。

頼時為流矢所中，還鳥海柵死。

②　黄海(きのみ)の戦(いくさ)（七人とりことなる）

長男義家・修理少進藤原景通・大宅光任・清原貞広・藤原範季・同則明等也。

賊衆二百余騎，張左右翼囲攻，飛矢如雨。

将軍之馬中流矢斃。影通得馬授之。

義家馬又中矢死。則明奪賊馬授之。

藤原茂頼者将軍腹心也。

驍勇善戦。

軍敗之後，数日不知将軍所往。

謂已歿賊，悲泣曰，吾求彼骸骨，方葬斂之。

但兵革所衝，自非僧侶，不能人求。

方剃鬢髪拾遺骸可。

則出家忽為僧，指戦場行，道遇将軍。

③　宗任の戦法（貞任は此(これ)を活用出来ず）

又遭霖雨徒送数日。

粮尽食尽，軍中飢乏。

磐井以南郡々，依宗任之誨，遮奪官軍之輜重･往反之人物，為追捕件奸類，分兵士千余人，遣栗原郡。

又磐井郡仲村地，去陣四十余里也。

耕作田畠，民戸頗驍。

則遣兵士三千余人，令刈稲禾等，将給軍糧。

④　嫗戸(うばと)の戦い（夕顔の戦法）

官軍多傷死者。

於是生虜経清。将軍召見責曰，汝先祖相伝，為予家僕。

而年来忽緒朝威，蔑如旧主，大逆無道也。

今日得用白符否。

経清伏首不能言。

将軍深悪之，故以鈍刀漸斬其首。

是欲経清痛苦久也。

貞任抜剣斬官軍。

官軍以鉾刺之。

載於大楯，六人舁之将軍之前。

其長六尺有余，腰囲七尺四寸，容貌魁偉，皮膚肥白也。将軍責罪。貞任一面死矣。又斬弟重任。

（完）

参考文献『陸奥話記』を読む　2011.9.25

弘前大学教授　斉藤利男　講演・著

夕顔の軍議（呉越同舟渡島乃吏）

イエス・キリスト曰く。

天の父は，悪人にも善人の上にも太陽を昇らせ，正しい者にも正しくない者にも雨を降らして下さる，「天の父に倣い，敵を憎まず愛し，敵も大事に扱いなさい」。

田代島仁斗田の発祥の源はこれにある。「欲知古者察今」— 古を知らんと欲すれば今を察せよ。この諺から今より察して，物語を始めよう。

今から約900年前の昔，西暦では1107年頃，奥羽の戦乱も収まり，藤原清衡が母方の故郷衣川に居を移した頃の事である。野山にこぶしの花が咲く頃，朝日山地の高安山の麓，安倍の家臣大鳥山太郎頼遠の城，大鳥城に普段見かけない鵲の大軍が押し寄せて来た。友好国であった隣国の高麗から，遥々と海を渡って来たものか，一名「カチガラス」とも云うカラス族の頭の良い鳥である。翌朝不思議にも，金鳥明王と八大龍王を先頭に800羽ずつ二隊，総勢1,600羽が天空高く舞い上がり，隊列を整え，左下に滅亡した清原の出羽を見据え，奥羽山脈を越え，岩手盛岡の厨川柵と姥戸柵に降りたった。一夜を過ごし，翌日は散々に飛び立ち，高空を胡麻が撒き散らばったように南へ飛行し，金ヶ崎西根の鳥海柵へ夕暮れに集合した。鳥達は何故か眠らず，がやがやと夜を過ごし，翌朝薄明に飛び立った。

金鳥明王の一隊は，北上川の川面すれすれに飛行し，川沿いに南下，迫川に移り尚南下，井内に羽を休め，河口の石巻牧山の奥津城に，八大龍王の一隊は，東に飛び立ち，物見山姥石を下に，貞任山を左に見て，大船渡田代屋敷に一時羽を休め，太平洋に抜け，三陸沿岸を南下，女川湾に入り，渡波万石浦に夫々落ち着いた。暫くしてから，金鳥明王は牧山梅渓寺（魔鬼山梅谷寺）に，八大龍王は渡波の宮殿寺に陣取った。

両王を欠いた鵲の大軍は，牡鹿半島の孤島田代島上空を時計廻りに三回旋回した後，福島信夫山（しのぶさん）の羽黒神社と東和（とうわ）の隠津嶋（あきつしま）神社に向かって飛び去った。

場所（ところ）は戻って鳥海柵（とのみのさく）。

大勢の鵲が，滞在した盛岡の夕顔瀬橋（ゆうがおせばし）あたりから，銜（くわ）えて運んできたものか，夕顔の種が双葉の芽を出し，花と実をつけ，夏場にぐんぐんと成長し，あたり一面が夕顔だらけとなった。なかでも，四目垣（よつめがき）で囲まれた六個の夕顔の実は丸く大きく，すばらしいものであった。

いつしか秋十月，旧暦の九月九日の宵（よい），四目垣の上に烏（からす）がずらりととまり，カァカァと低く鳴きながら，今から始まる事を待っている様であった。烏の鳴声がぴたりと止み，月が雲に隠れ，あたりが闇につつまれると，まわりの夕顔と六つの夕顔が青白く光り出し，夫々（それぞれ）が鎧（よろい）を纏（まと）った武士の姿になり，烏野郎（からすやろう）が待ちわびた“夕顔の軍議”が始まった。まず先に源義家（みなもとのよしいえ）が口を開いた。

「此の度の戦（いくさ）は，出羽の清原武則（きよはらたけのり）の野望によるもので，父頼義が差し向けた富忠殿への宣旨（せんし）は無効となった。予（よ）が先鋒隊としてここにあるのは，黄海（きのみ）の戦で我が軍が壊滅（かいめつ）し，予を含め七人が擒（とりこ）となった時，貞任殿の慈悲（じひ）により生還出来た為である。

また予の妃（つれ）は貞任殿の娘である。清原軍が到着する前に，貞任（さだとう）・重任（しげとう）・経清（つねきよ）殿を亡命させたい。源氏軍は陸路と北上川を利用して下り迫川（はざまがわ）に入り，牡鹿遠島（おしかとしま）に展開する。

先般朝廷が富忠殿に宣旨（せんし）を出したにもかかわらず，貴殿は積極的に兵を出さず，頼時（よりとき）殿との交戦を避けた。朝廷も清原も貴殿の領地まで攻め入ると怒（いか）っている。その対策として，貴殿は源氏方の臣（しん）となり，安倍の存続を計ることとする。姓を阿部とされよ。

富忠殿の今後の所処（しょしょ）と計略を伺いたい。尚，我が軍からは，貞任殿には盾（たて），坐添目（いそいめ），隨（まま）をつけ，役目（いそめ）の仁田（にった），太郎目（たろめ）の本田（ほんだ）等の八兵団（はちへいだん）で囲い，且つ牡鹿遠島（おしかとしま）全体を源氏と安倍の混成軍で固める」と，じろりと富忠を見据えながら口を閉じた。

さあ，安倍富忠の番である。流石，青森五国を治めていただけはある。「全て承知してある，我は安倍の一族としての使命を果たす。流言に対する言い訳ではないが，予は本家に兵など出さぬ，ましてや奥六郡の天下を取る野望などまったくない。後を托する総大将を勾当・安倍真任殿とし，盾として木村軍癒等をつける。厨川，嫗戸の守備隊長には，申し出でにより古代の身代役・阿弖流為（充為・当倭）に倣い，仁土呂志・白糀の十和田巖任が貞任殿の継となり，すり替わる。それに宇曽利の大向と瀬早の者が重任殿と経清殿の継となる。夫々の領地から集めた兵で，総勢数百の軍勢としての形をつくる。一方，我が水軍を綾里の入江に終結せしめ，牡鹿遠島に南下させる手筈は整えてある」と，富忠もう覚悟は決めていた。

義家，「その手筈とやらをもっと詳しくお聞きしたい」。

富忠，「では具体的に御説明いたそう」，富忠絵地図を取り出し，広げて話し始めた。

「我が安藤水軍の帆を併用したガリー船六隻を綾里の入江に集結させる。陸路の全員が乗船次第，司令船を美與利の弁天丸として大原湾に，鉾屋の観音丸は田代の大泊湾に，宇曽利の八龍丸は鮎川湾，明神丸と鹿嶋丸は女川湾，白龍丸は井内万石浦に夫々入湾させる。

ガリー船にはダンベを曳航させる。もちろん伝馬船を積んでの事である。山子の清原は想像もつかないであろう。夫々の家族と縁者は，鉾屋は大泊，瀬早・仁土呂志・向旗は宇曽利の大湊で乗船する。美與利の者達は八戸鮫湊で乗船する。貞任殿の仮の滞在場所は苔乃浦として，田代仁斗田が受入準備完了次第万石浦から波を渡る」と，富忠口を結んだ。

義家，「よく解った，では，綾里の地には金為行の家臣である金吾邑簀を口止役として配し，水軍が入湾するまで，陸路の者達を田代屋敷に終結待機させる。後の世に，この足跡を残す為に，この地の名称を越喜来と大船渡と改めさせ封印する」と，絵地図の入江を指して口を閉じた。

それまでじっと耳を傾けていた安倍真任（あべのさねとう）が口を割った。

「予は盲目（めしい）であるが故（ゆえ）に長男の役割を果たすことが出来ず，皆に苦労をかけて来た。察するに，大勢既に決し，我が日高見（ひだかみ）の国も陽（ひ）が西に陰（かげ）るが如し，色々と思うに……悲しい。

これより予が総大将となる。貞任，重任，経清殿，総てを予に托せ。予の身を案ずることなく，夫々に生き延びよ。来世は，また平和な世で会おう。後（あと）は義家殿が進める」と，安倍勾当（あべのこうとう），見えぬ涙を曲げた親指で拭（ぬぐ）いながら，静かに語った。

「兄者（あにじゃ）・・・」「兄上（あにうえ）・・・」「勾当殿（こうとうどの）・・」と，安倍貞任，安倍重任，藤原経清が低くつぶやいた。

そして，「瓶（かめ）の酒はすべて残せ，軍が見えたら見張役の三人は四散せよ」と，藤原経清が一言（ひとこと）命じた。

「これで軍議は終了した。忍目（じんめ）によれば，明日（あす）十日は清原軍が北上を開始する，薄明を待たず，鵲（かささぎ）の様に，極秘に，わらわらと事を進めよ」と，源義家が源氏と安倍の全軍に命令した。烏（からす）がパタパタと羽ばたき，雲の合間（あいま）の上弦の月が西に傾き，丸い夕顔の実を照らすと，辺（あた）りはまた元の静けさに戻った。

終わり

参考文献　小西可東著『巨人貞任』岩手日報社
聖書

木の実のロザリオ（源義家山鳩を恐れる乃吏）

今から約900年前のある日，京の都の昼下がり，白髪混じりの武将源義家の許に一羽の山鳩が舞い降りて来た。渡廊下の欄上に止まり，あたりを見廻してから，更に薄暗い寝屋めがけて侵入した。

槍を隠した長押の上に止まり，口中より椋・榎の実をポロリ，ポロリ，ポロリと三粒落として息絶えてしまった。実に毒は無いので，今様鶏インフルエンザにでも罹ったものか。不思議なことがあるもので，それらの実が青白くキラキラと光り出したのである。

実はだんだん大きくなり，みるみるうちに人の首になり，「オラ，ニセクビ，オラモニセクビ」と，夫々がぶつぶつ呟き出し，果てはケララ，ケラ，ケラと笑い始めた。

すると，一つの赤い実の方が真顔になり，義家をじろりとひと睨みし喋り出した。

「いし！鳩と鶏と此の首に覚えがあろう……我が実は，ここからは遠い北の島の『一杯の木』の榎の実である，予の祖先を辿れば，遠くヘブライの地にある，よく見れ，余の顔の色，黒いか，黄いか……紅いであろう，新郷は田代と云って，我らこの額の十字の下に，AN GOAL MONACHIES，安奥王の千年の庇護の恩に報いる為に望んで影武者になったものである，これに有る二つは宇曽利の向いと早瀬の瀬早だ，見よ！此のいたいたしい鈍刀での首の切り口を！

汝ら，あまたの謀略をめぐらし，人を貶め，富を奪い，名を上げ，さぞ愉快であろう……

悔い無くばその因果は子々孫々に及ぶが，微塵の悔いも無いか……」

ああ，義家一人にばかりに負うところでもなく，また，この武将の咎は免れているはずなのに。義家，目を見開き，息をころし，身を凍らせ，その魂音を聴く。

暫くして，目を爛々と輝かせながら見守っていた八大龍王が，燃える三個の玉を鷲掴みにし，軒下をかいくぐり，雲を巻上げながら京の西獄門の空に消えて行った。

光が差し込んで来た床の上には，真白な髪となった老将と死んだ山鳩，黒の椋の実，赤と黄の榎の実が数珠の様に並んでいた。

よみがえり前のイエス様はいった。

「私はぶどうの木」

「天の父が私を愛された様に，私もあなた達を愛した」

（私は将来十字架にかかり，父のみもとに帰るでしょう）

「私の戒めを覚えなさい」

「私はあなた達を愛した」

「私の様に，あなた達も互いに愛し合いなさい，人がその友の為に自分の命を捨てること，これよりも大きな愛は無いのです」

身代りの三人はこの教えを実行した。

翌日，義家は銀剣一腰と駿馬一疋を，石清水八幡宮に献じた。

終わり

参考文献　小西可東　著『巨人貞任』　岩手日報社
聖書

鶏足コード

No	屋　号（呼　称）		由　来
1	げんねえや	GENNEYA	玄拏（げんな）　又は炫拏（げんな）・弦拏（げんな）・絃拏（げんな）のいずれかである
	解説	げんねえは唇音転訛（しんおんてんか）したものである。炫拏は神炫（しんげん）持ちで，神火を持って先に立つ者である。 弦拏は大弓を持ち，魔物を退散させるために弓の弦を引き，音を出しながら前進する者，絃拏は絃楽器を持ち軍楽隊の役目を果たす者，神炫の方が有力と思われる。 拏（な）とはダ・ナ・モツ・トラエル・サオサスの意味がある。	

No	屋　号（呼　称）		由　来
2	ちょうだや	CHODAYA	旄拏（ちょうだ）
	解説	旄拏で唇音転訛せず。 旄拏は旗持ち，すなわち神旗持ちである，どのような旗印かは不明。 かもめ・かごめで籠目紋（かごめもん）とした。	

No	屋　号（呼　称）		由　来
3	さだへや	SADAHEYA	鷺兵（さだへい）
	解説	鷺兵がさだへやに唇音転訛したもの。 鷺兵は神意によって定められた牡（雄）馬を引く役目である。 鷺とはサダム・ノボルである，祭りでは猿田彦（さるたひこ）の面を持って行進する役目の家である。 阝（こざと）は神梯（しんてい）のことで，すなわち，聖地へ神馬を引いてのぼると云うことである。	

No	屋　号（呼　称）		由　来
4	でんべや	DENBEYA	傳目
	解説	傳目がでんべに唇音転訛してでんべやとなる。 傳とは傳棄という言葉からきており，遠方に離すとする意味がある。 目は役目の目で，地方官の位では守・介・掾・目の四番目で，国司（国のつかさ）の下部職のことである。 もとは，牛頭天王の付近に住居があったらしい。	

No	屋　号（呼　称）		由　来
5	ずさや	ZUSAYA	始佐
	解説	始佐がずさに唇音転訛したもの。 始佐とは前方の隊列の差配をする役目である。 佐はタスケル・ソエル・ウカガウの意味があり，差はサス・ススメル・カゾエルの意味がある。 傳目の舌の奥にあり，示唆・うまみ・おいしさをみる，滋査をからめたものか？ 間佐・後佐の前方にある。半島には，遊佐があるが田代にはない。 （注）仁斗田集落を俯瞰すると「鶏」の形状となっている，傳目（でんべや）は鶏の舌の部分に当たり，「ずさや」はその奥にあるということ。	

No	屋　号（呼　称）		由　来
6	もへや	MOHEYA	摸兵
	解説	摸兵がもへやに唇音転訛したもの。 摸兵は摸索（さがす），さじる（間諜）からきており，偵察役と思われる。 「西」の屋号もあり，慶長使節の西九助に関連があると思われる。 大泊・玉泉庵の「田中」は同じ慶長使節の田中太郎右衛門であろうか。	

No	屋　号（呼　称）		由　来
7	ひこや	HIKOYA	披講（ひこう）
	解説		披講が「ひこや」に転訛したもの。 披講とは正月の歌会始めで和歌を歌う役目である。 地図の上では凡そ鶏の声帯の部分に当たる，島では昔から「ひこや」の人達は歌が上手いと云われてきた。

No	屋　号（呼　称）		由　来
8	へいめや	HEIMEYA	鞞目（へいめ）
	解説		鞞目で唇音転訛せず。 鞞目とは，つづみを打つ役目である。 うまのりつづみ・せめつづみ・こつづみ等があり，有事の際は軍楽を司る軍鼓役である。 田代では平和時に打つ役目であろう，鞞鼓（へいこ）・鞞舞（へいぶ）があり，地図上では鶏の声帯にあたる。 ひこやと並び，やはり歌が上手（じょうず）と云われている。

No	屋　号（呼　称）		由　来
9	ぎそや	GISOYA	義倉（ぎそう）
	解説		義倉が**ぎそや**に転訛したもの。 義倉とは食料確保の計画，保存，保管，配給をする役目である。 鶏の「すなずり」に当たり，道路南側の敷地は役目（いそめ）・仁田（にった）のもので，海産物を含む穀倉があったものと推察される。 ぎそやの人は漁が上手でアワビ採りではトップクラスであった。

No	屋　号（呼　称）		由　来
10	やすぺや	YASUPEYA	杈兵
	解説	杈兵がやすぺやに転訛したものである。 杈兵とは槍・サスマタ・稓兵・播兵を意味し，槍騎兵と思われる。 昔，アベ十ベェと云う人がいたとの言い伝えがあり，十は重とも書き，名を伏せた安倍重任の重であろう，任も十である。家印は木|（トリアシ）で，左宮のとりあしである。杈はサとも読み大泊の「さへや」は杈兵であろう。故あって安倍貞任の孫の血を引く門前に住居を与え，臣の東南側に移転した。十についての考察で，近世になるが，偶然にも慶長使節の内藤半十郎に関連はなかろうか。	

No	屋　号（呼　称）		由　来
11	もんぜん	MONZEN	門前
	解説	門前は転訛せず。 門前は安倍貞任の孫で，貞任の生きる力の元となったと思われる。発祥の地は不明である。 多分読師侶の屋敷の西側か，役目の近辺ではなかろうか。 孫衛目によって育てられ，読師侶が後見人となっていたものと考えられる。 田代寺の墓地には，安倍を阿部に改め，衣川の戦云々の立派な門前の墓碑がある。	

No	屋　号（呼　称）		由　来
12	ごろべや	GOROBEYA	五郎目
	解説	五郎目がごろべやに転訛したもの。五郎目とは安倍重任の影武者である。学者や岩手県の人達は，安倍重任を六男としているが，三男の宗任，七男の家任は側室の新羅が生んだ子で，家任は病弱であったと云われている，従って重任は正室峰の子の順では五男である。因に正室峰の子の順は①盲目井殿・真任②貞任③境講師官照・行任④正任⑤重任⑥則任である。黒沢尻五郎正任は田代の人達では黒沢尻四郎正任となる。宗任と家任は鳥海柵の守りである。白鳥柵を守った白鳥八郎則任は田代では白鳥六郎則任である。長男の真任（仲道又は成道とも云われる）は八戸・是川の母袋子に逃れたと伝えられる。	

No	屋号（呼称）		由来
13	とくじろや	TOKUJIROYA	読師侶
解説	読師侶，そのままとくじろで転訛せず。 読師侶とは役僧であり，和歌や作文等の役目をする高僧である。 ソウジロ・ソウゴロに使用されている侶を使用しているので，かなりの役柄のもと思われる。 貞任の孫高星を保護していたのではなかろうか。 三男行任の境講師官照（良照とも云われている）ではないか？		

No	屋号（呼称）		由来
14	いそべや	ISOBEYA	役目
解説	役目がいそべやに唇音転訛したもの。役目は急目に同じで八幡太郎義家の腹心仁田某が先鋒（先遣）隊長となり，田代島に渡り，縄張りをしたものと推理される。縄張り即ち融和，鎮圧，糧食の確保，土木，建設など，安住・苔の浦から移転の為の総監督である。仁田はその役目を終えた後（貞任没後）仁田乃家を空にして，隣に子息を残して呼び戻されたものと考えられる。家印は≏（やまいち）である。 江戸時代には仁田梅吉なる者がいたと云う。門前と親類で苗字は阿部である。 牡鹿半島には仁田山がある。		

No	屋号（呼称）		由来
15	げんにめや	GENNIMEYA	元二目
解説	元二目でそのまま転訛せず。元とは首のことで，首に空気が通って元気となる。 元二目とは，二つ目の首を打ち，その首を運ぶ役目の元荷目である。 その二つ目の首の身代わりは権二目である。前九年の戦の時，権一目は十和田白糀乃巌任であり，元一目は源氏の家臣越乃瀧口である。田代の事が発覚した場合の備えである。依って家風は清廉で厳格。		

No	屋　号（呼　称）		由　来
16	おしめや	OSHIMEYA	押目（おしめ）
	解説	押目そのままで転訛せず。 押目とは後ろから人を押す役目である。大波で流され，被目（きせめ）と引目（ひこめ）の間の三角地に移転した。 赤ちゃんのオシメか大人の褌（フンドシ）に関連していないかと推理したが，俳優の押切もえの名字の「押切」も，「押して切る」か，「押して首を切らせる」役目の意味であった。	

No	屋　号（呼　称）		由　来
17	ひこべや	HIKOBEYA	引目（ひこめ）
	解説	引目がひこべに転訛したもの。 引目とは，ひく・ひこずる・ひこずらうで人を引く役目である。 パイドパイパーではないが，祭りの横笛はひこべやの人が吹いていた。 横笛の指導は参佐（さんざ）がしたと云う。	

No	屋　号（呼　称）		由　来
18	たて	TATE	盾（たて）
	解説	盾がそのまま転訛せずたて。 盾とは楯とも書け，貞任の盾の役である。今様SP，ボデイガードである。 荒神様の脇の「たて」は昔大謀網で大漁した際に新築したとの言い伝えがある。 聞くところによると豪傑タイプの人達であったと云う。奥神・荒神を警護していた。	

No	屋　号（呼　称）		由　来
19	きせめや	KISEMEYA	被目
	解説	被目そのまま転訛せず。 被目とは着せ目で着せ役である。 衣裳を着せる役目なので，この家の人は私の見たところセンスが良い。 被目と向が親類なのは，宇曽利の領主である向を安倍重任の身代わりとして変装させ，姥戸の戦場に送り出したので，その子息の後見人となった為であろう。	

No	屋　号（呼　称）		由　来
20	にったのいえ	NITTANOIE	仁田乃家
	解説	仁田乃家，転訛せずそのまま。仁田乃家とは西暦 1106 年平塚掃部之介が来島した時に，仁田乃家と立札があったそうで，屋号はそのまま「にったのいえ」となっている。役目の仁田が役目を終えて国の群馬に帰還した際に提供したものと推察される。1106 年は源義家が没した年である。あまり知られていないが，源義家は安倍貞任の娘を娶っている。平塚掃部は田代島の状況を知った上来島し，且つ又田代島の状況を暗号で報告していた筈である。 暗号には|厶|（トリアシ）を使用したであろう。掃部之介の介は守の下の二番目の位である。掃部とは，蟹守・かんもり・かもり・かもんからきたもので，宮中の鋪設，酒掃の事を司る役人のことである。 因に蟹守とは神が海辺で蟹を箒で掃った故事に由来するもので，酒掃とは香りをつけた酒を注いで清め，水を撒き地を掃うことである。 掃部之介は奥神の下に伏見稲荷を分祀した，明神様の原点は火の神で荒神様である。	

No	屋　号（呼　称）		由　来
21	ふだば	FUDABA	札場
	解説	札場，そのまま転訛せずふだば。札場とは屋敷の南西側に掲示板があったので，そのことから来ていると伝えられている。北東側には馬屋があり，馬の名は水月である。家印は丄（とりあし）で守護神は奥神・荒神である。奥神とは奥津彦・奥津姫のことであり，荒神は三宝荒神となっており，船名は三宝丸である。鶏の鶏冠部分の畑が札場のもので，畑の名は「おばたけ」で貞任が開墾し耕していたと思われ，麦・大豆・さつま芋・胡瓜などを作っていたが「からむし」の苧麻の苧は作った形跡は無い。仁斗田発祥から坐添目屋とは親類関係にある。近年備中高松城主・清水長左衛門宗治の血を引く清水平太夫（平家の太夫）が養子に入っている。	

No	屋　号（呼　称）		由　来
22	まま	MAMA	随
	解説	随，ままで転訛なし。随とは，つきしたがう・とも・つきそい・つづくの意味があり，文字通り貞任の付添である。随，随无故也～随は故が无き也，人や時に随って行くときは，自分が過去身に着けてきたものを一応捨て行くということ。自分というものを捨ててこそ人に随いて行ける，随はその手本である。无は，ない・なし・なかれで亡の異字体である。管轄する神社は，八幡大神と秋葉大権現である。八幡神は源氏の守護神，秋葉神は鎮火・防火の火伏の神である。秋葉大権現は静岡県天竜川中流の標高 836 m の秋葉山にあり，飛行自在の三尺坊大権現，迦具土神を祀る。その山は全山結晶片岩で，結晶片岩は光を遮る，光は波長の短い電磁波である。	

No	屋　号（呼　称）		由　来
23	いそいめや	ISOIMEYA	坐添目
	解説	坐添目，唇音転訛せずそのままである。 坐添目とは，ぴたりと寄り添い伴う役目のことである。仁斗田発祥時より札場と親類で，昔は主な慶弔事には互いに招待された。 仁斗田浜，札場付近にあったが，大波により流され現在地にある。 持船の名前は海形丸，田代島でただ一匹の牛は今はいない。	

No	屋　号（呼　称）		由　来
24	いんきょ	INKYO	隠居（いんきょ）
	解説	隠居，そのまま転訛せずにいんきょ。 隠居とは読んで字の如く，高齢となった貞任（さだとう）が坐添女（いそいめ）との間に出来た長男又は長女を札場（ふだば）に残し，坐添女や別の子供と別の場所に隠居したものと思われる。 依って坐添目（いそいめ）とは親類である。波により流され現在地にある。	

No	屋　号（呼　称）		由　来
25	はたけなか	HATAKENAKA	畑中（はたけなか）
	解説	畑中，そのまま転訛せず。 畑中とは隣の網地島にもあり，名門の様である，農事を統轄したものと思われる。 函館生まれで日魯漁業の創始者平塚常次郎は，北前船の船頭・畑中の平塚八太夫の子供である。	

No	屋　号（呼　称）		由　来
26	きんにめや	KINNIMEYA	金荷目（きんにめ）
	解説	金荷目でそのまま転訛せず。 金荷目とは，金塊の運搬管理役で財政担当の役目と思われる。 嘘か本当か，子供達の噂話に金荷目屋のおかみの地下に金塊が埋めてあり，それを誰かが掘り出して資金にしたとの話があった。	

No	屋　号（呼　称）		由　来
27	えんのや	ENNOYA	宴
	解説	宴，そのままえんのや転訛せず。 宴は，うたげ・たのしむ・王宴すの意味。公的儀礼として行われる饗宴の担当役と思われる。 家印は入（カネイリ）である。 うたげには金が要るし，また御祝儀で金が入る。金がイル，金がハイル，的を射た妙な印である。	

No	屋　号（呼　称）		由　来
28	ごんざや	GONZAYA	権座
	解説	権座，ごんざや転訛せず。 権とは，はかり（秤），おもり（分銅・錘），座はつどう（集）の意味がある。 また座は星座･御座に通じ，聖なる場所を意味する。星座は秤の天秤座であり，人間は死後に天秤座で裁かれる。依って，権座は裁判所の役目をする。 しかし時代が変わり，権は欣・訢と変化し，島の喜び楽しむ場所に変化したものと思われる。	

No	屋　号（呼　称）		由　来
29	またべや	MATABEYA	復目
	解説	復目がまたべやに唇音転訛したもの。 復目・又目は復活，復古，復帰，もとへかえる，あかしをたてる，もどる，おぎなう，もとの状態に回復する，又はたすける，ふたたび，同じく，ひとしくで，人を等しく扱うと云うことである。 依って復目・又目は今様弁護士である。 家印の全（やまじゅいち），山十一は，十の一，まさしく田代島の一陽来復，地雷復である。	

No	屋号（呼称）		由来
30	はんぜめや	HANZEMEYA	判是目（はんぜめ）
	解説	判是目・判左目，はんぜめやで転訛せず。 判是目とは，是か非を判ずる者即ち裁判官である。補欠で判二目がある。 補欠があるので，主任が左宮の判左目，補欠の判二目が判右目である。 韓国ドラマ「トンイ」で知ったが，朝鮮王朝にも判官（ぱんがん）が二名居たらしく，朝鮮王朝は日高見（ひだかみ）の国の制度を取り入れたのであろう。 最近まで島のもめごとのまとめ役をしていた家柄である。	

No	屋号（呼称）		由来
31	てぇら	TEERA	偵邏（ていら）
	解説	偵邏がてぇらに転訛したもの。 偵邏とは偵羅とも書き，様子をさぐるために巡回することを云う。偵察・巡査即ち今様警察官である。昔は山守（やまもり）で島の見回りをしていたと云われている。 磯の口開（くちあ）け（開禁）を担当していたと云われる。	

No	屋号（呼称）		由来
32	またしちや	MATASHICHIYA	復七（またしち）　または又七・亦七
	解説	復七・又七・亦七のいずれかから来ている，唇音転訛せず。 役目は判明することは出来ないが，一週間おきに島の出来事を記録公表する役目か，五七五七七の和歌に関係があるか，または他にあるか不明である。 週刊誌の記者なのか，和歌の担当なのか？	

No	屋号（呼称）		由来
33	かんべや	KANBEYA	⿸厤甘(かんめ)目

解説

⿸厤甘目とは（厂(かん)＋秝(れき)＋甘(かん)）で，治める，整えるの意味がある。

厤(かん)とは，軍門を設けその下(もと)で軍律によって事を決することである。甘は日の誤(ご)謬(びゅう)で厤(れき)＋日(ひ)で暦となる。依って⿸厤甘目(かんめ)は軍律を整え，平和時には暦(こよみ)を管轄した。

刊目・簡目・巻目等が考えられたが，⿸厤甘目が妥当であろう。

No	屋号（呼称）		由来
34	ごんにめや	GONNIMEYA	権二目(ごんにめ)

解説

権二目，そのまま転訛せずごんにめや。

権二目とは，二番目の権の役目である，即ち権現の為の二人目の影武者役である。

家印は三番目のやまさん ≘ である，やまに ≙ は何処か不明である。

権一目の首は既に京に送られている。

発覚した場合の備えである。

No	屋号（呼称）		由来
35	むかい	MUKAI	向(むかい)

解説

向，転訛せずむかい。向は臣(しん)の安倍富忠(あべのとみただ)の傘下で，宇曽利(うそり)の向旗(むかいはた)，大向(おおむかい)，幡向(はたむかい)などから来ていると思われる。下北半島を含む宇曽利の領主であった。偶然の一致か船奉行向井(むかい)と祖先の繋がりか西暦1620年9月，江戸幕府船奉行向井将監(むかいしょうげん)忠勝の家臣で，慶長使節の副使松木惣右衛門忠作(ちゅうさく)が田代の向に亡命した。家印は十字架のまるじゅう⊕である。鹿児島の島津とは係りが無かった。ローマ法王からの土産品が沢山あったと家人が云っていた。忠作はメキシコで洗礼を受けており，忠作の忠の字を伏せ，久に変え，久太夫・久作・久光と続いた。

海運，海産物，質屋等営み，浜門(はまのいえ)の二階に隠れ間があってイエス様の吊るし絵があったと云う。

No	屋　号（呼　称）		由　来
36	ゆやのいえ	YUYANOIE	湯屋（ゆや）
	解説		湯屋，そのまま転訛せずゆやのいえ。 湯屋は取調べ人を一旦湯に入れ身を清め，詛盟（そめい）（神に誓って約すること）させ，音訊（おんじん）が厳しく訊問（じんもん）するためのものである。 銭湯屋を営んだかは不明である。

No	屋　号（呼　称）		由　来
37	ちゅうずめや	CHYUZUMEYA	宮事目（きゅうじめ）
	解説		宮事目がちゅうずめやに転訛したもの。 宮事目とは，裁判や祭事の準備と進行役であろう。厨事目・厨司目も考えられるが，両方である可能性もある。

No	屋　号（呼　称）		由　来
38	はんにめや	HANNIMEYA	判二目（はんにめ）
	解説		判二目・判右目，はんにめやで転訛せず。 判是目の補欠であろう。 古くはあずまえ（東家（あずまえ））とも云われ，東（とう）の字は，もとは橐（ふくろ）のことである。袋に裁判料を納めさせる役目であった。

No	屋　号（呼　称）		由　来
39	おんずんや・おずんや・おじんや	ONZUNYA	音訊（おんじん）
	解説	音訊がいろいろに唇音転訛した。 音訊・音卂・音尋と考えられたが音訊が妥当であろう。 訊とは，しらべる・といただす・とう・せめとう・いさめる等の意味がある。 音訊とは，人を後ろ手に縛り，前に祝誓の器を置いて，自己詛盟（じこそめい）させ，厳しく訊問をする役目である。即ち取調官役（とりしらべかんやく）で，今様の検察官・検事である。	

No	屋　号（呼　称）		由　来
40	やずや	YAZUYA	冶鋳（やず）
	解説	冶鋳，そのままやずやで転訛せず。 冶（や）は，とかす・いる・ねる・つくる，鋳（ず）は，ちゅう・いる・いこむの意味がある。 冶鋳は，いかけ・いものの担当の鍛冶（かじや）屋である。	

No	屋　号（呼　称）		由　来
41	みね・まごや	MINE ・MAGOYA	御寧（みねい）・孫衛目（まごえめ）
	解説	御寧がみねに転訛したもの。 孫衛目，まごえめやがまごやに唇音退訛，両者とも同じ家の屋号である。 御寧は国家の安寧を祈る役割で，御幣（ごへい）の西側に位置する。 安倍貞任の母親が峰（みね）であるので，その関連もある可能性がある。峰は貞任の孫の高星を抱えて逃れたか。 現在の「まごや」は「みね」の分家に当たる。孫衛目は孫を守る役目である。	

No	屋号（呼称）		由来
42	かんざや	KANZAYA	間佐（かんざ）
	解説	間佐，かんざやで転訛せず。 間佐とは部隊の中間に位置し，その周りを差配する者である。 支倉常長で知られる慶長使節の今泉令史（いまいずみさかん）が，亡命してサカンからカンザに名を伏せたか等（など）いろいろ探したが，それはなさそうである。 仁斗田には，上区（かみく）・中区（なかく）・下区（しもく）とあり，中区（なかく）の差配をしたのであろう。	

No	屋号（呼称）		由来
43	そうごろや	SOUGOROYA	廋護侶（そうごろ）
	解説	廋護侶，そうごろや 転訛せず。廋護侶の「そう」は 叜（そう）→叟（そう）→廋（そう）となり，族長が，叜は火を掲げるの意，廋は火を「かくす」とか「くれる」の意で，田代島の場合は廋が妥当であろう。即ち田代島の頭脳であり，封印役（ふういんやく）である。依って地図ではニワトリの頭脳に当たるところに廋護侶の土地がある。 昔，部落の人達が集まり，ここで凍豆腐（しみどうふ）を作っていたので，惣豆呂（そうごろ）など考えたが，これは世を忍ぶ仮の姿であった。白浜の工事の際，工事関係者がこの家に宿泊した。真夜中に武士の姿の幽霊が立ちはだかったのは事実である。工事中，鎖に繋がれた人骨が出たと云う。歴史の因縁（いんねん）か，役目（いそめ）の家人が丁重（ていちょう）に葬った。約950年間，秘密のヴェールに包み後世に隠し通したのは流石（さすが）である。	

No	屋号（呼称）		由来
44	るへや	RUHEYA	縷甹（るへい）或は鏤甹（るへい）
	解説	縷甹が転訛してるへやになったと思（おも）われる。 縷甹の縷とは糸のことで，絹・カイコ・麻・綿等を云う。台上の礼器に絹糸等の収穫物をあげて，神に感謝の祈りを捧げる役目か。 鏤甹も考えられる，鏤は金属の彫られた器のことである。糸と布の関係か，什器類の関係か不明である。御幣（ごへい）とも関係がありそうである。	

No	屋　号（呼　称）		由　来
45	こやま	KOYAMA	呼山
	解説	呼山，こやま転訛なし。 呼山，乎山とは対岸の小網倉との連絡役と思われ，烽火で情報を交換することになっていたのであろう。壺山は水器で時を知り，鼓で時を告げる役目もあるかも知れない。	

No	屋　号（呼　称）		由　来
46	ごさや	GOSAYA	後佐
	解説	後佐，ごさやで転訛せず。 後佐とは，後方の隊列を差配するものである。 佐とは，さす・すすめる・かぞえるの意味がある。仁斗田の上区を担当した。	

No	屋　号（呼　称）		由　来
47	ごへや	GOHEYA	御幣
	解説	御幣が転訛してごへやとなった。御幣とは，五穀豊穣と家内安全を祈るものである。五傳・五粤も考えられたが，御幣が妥当であろう。一般に使用される幣束とは異なる。青森県津軽地方で豊作を祈り，鉋屑で作った大きな御幣を掲げ，岩木神社に詣でる「お山参詣」がある。因に五に関しては，伍は軍隊編成上の単位で，五人を一組とする（一兵団５人）。　五行は，木火土金水（易学）。五色雲は青･白･赤・黒・黄である（安倍の旗は五色，源氏の旗は白色）。	

No	屋　号（呼　称）		由　来
48	きゅうだろや	KYUDAROYA	宮太郎（きゅうたろう）
	解説	宮太郎が転訛してきゅうだろや。 宮太郎とは，天体観測と宮殿即ち神社・仏閣・裁判所の諸事を取り計らったものであろう。 月・太陽・星など天宮（てんきゅう）の観測を受け持つ役と思われる。 宮太郎と汢瀛太郎（しけたろう）が親類（しんるい）なのは，天文航法を担当し，地文航法の汢瀛太郎と互いに船の航行を助け合った為である。	

No	屋　号（呼　称）		由　来
49	ごろさくや	GOROSAKUYA	五魯作（ごろさく）
	解説	五魯作，そのまま転訛せずごろさくや。 五魯作の魯は，嘉善の意に用いる字で，祭りの魚料理の儀礼を云う。 五は五穀豊穣で，五魯作は宮廷料理人の家である。御魯乍・御炉乍・五炉乍など考えたが五魯作が妥当と思われる。 しんや（臣）と繋りがある。	

No	屋　号（呼　称）		由　来
50	すんべや	SUNBEYA	診目（しんめ）
	解説	診目が唇音退訛してすんべや。 けが人・病人の診察，診療を担当した医務官の家である。	

No	屋　号（呼　称）		由　来
51	たごや	TAGOYA	手護
	解説	手護，転訛せず。 手当と看護の医務官の家である。 様々な役目がある中，医師はいないものかと，最後まで悩んでいたが，診目・手護・瘉と出てきてやっと安心した。	

No	屋　号（呼　称）		由　来
52	ゆや	YUYA	瘉
	解説	瘉，ゆや転訛せず。 兪・瘉は舟と余，舟は盤，余は手術刀，膿漿を盤に移しとる，いわゆる手術をして治瘉させる医務官の家である。 これによって苦痛が除かれ，心が安らぐのを愈愉と云う。外科医である。	

No	屋　号（呼　称）		由　来
53	しんぱや	SHINPAYA	讖把
	解説	讖把，しんぱや転訛せず。 讖把・晨把・曟把・震把など考えられたが，讖把が妥当と思われる。 讖は，しるし・予言・予想・前兆のことで，把はそれを把握するものであり，讖把は予報官である。讖術・讖記などがある。 潮の干満，天気，農作物の作柄などを予報する役目であろう。	

No	屋号（呼称）		由来
54	とうじろや	TOHJIROYA	禱祠侶（とうじろ）
	解説	禱祠侶，そのまま転訛せずとうじろや。 禱祠侶とは，幸いを求める為に，まつり祈る役目である。祝祷とは事を告げて，福を求めるなりとある。 田代仁斗田の結婚式には，必ずこの家の人が招かれ，四海波（しかいなみ）「**四海波静かにて，国を治る時つ風**」を謡（うた）っていた。	

No	屋号（呼称）		由来
55	しょいめや	SHOIMEYA	書意目（しょいめ）
	解説	書意目，しょいめや転訛せず。 書意目とは書記官で，右筆（ゆうひつ）である。	

No	屋号（呼称）		由来
56	そうじろや	SOUJIROYA	奏事侶（そうじろ）
	解説	奏事侶，そうじろや転訛せず。 奏事侶とは物事の奏上（そうじょう）と下知（げち）役と思われる。 今様（いまよう），官房長（かんぼうちょう）か。	

No	屋号（呼　称）		由　来
57	しんや	SHINYA	臣
	解説	臣，そのまま転訛せずしんや。臣とは大臣の臣である，外位の臣である。外位とは現地人に授けられる位階のことである。隣の網地島・長渡，半島の小網倉にも臣と弐がある。 青森地方を治めていた安倍一族の分家，安倍富忠と思われる。仁斗田と大泊の中間にある「ねこ神様（美與利神社）」と八杯壇（八兵団）の地主である。傘下には宇曾利，仁土呂志，鉈屋，瀬早があり本拠地は神社の名前と同じ「美與利」という地域であろう。 「以夷制夷」の策略にかかり，一時の栄華の夢を見て亡びた秋田の清原一族。当時の富忠の胸中は知る由もない。	

No	屋号（呼　称）		由　来
58	よごみず	YOGOMIZU	棫密
	解説	棫密がよごみずに唇音退訛したもの。棫密の棫は朸（よく・くい）からきており，棫はタラの木，ホウの木，クヌギの木，コナラの木で作る垣である。 明治憲法下の枢密と同じである。枢密院とは，重要な国務並びに皇室の大事に関する天皇の諮問に応えることを主な任務とした合議機関であった。 臣の内密な相談役である，この屋号を推出するのが一番骨が折れた。横水・横道などなど・・・妄想の連続であった。閾・庢・廙など考えられたが，枢に似た棫が妥当であろう。	

No	屋号（呼　称）		由　来
59	しろご	SHIROGO	白糀
	解説	白糀が唇音退訛，しろご。白糀は，岩手県二戸郡と青森三戸郡の間にあり，その辺りは当時仁土呂志と呼ばれ（二戸→にと），青森中部で，八甲田，十和田湖などが入っていたものと思われる。白糀は，そこを治めていた富忠傘下の領主と思われる。 貞任の影武者は多分ここから出ているものと推察される。 臣，富忠の家来達は，向・白糀・瀬早・鉈屋の大泊と，反逆を恐れられ臣の近くから遠ざけられている。	

No	屋　号（呼　称）		由　来
60	せはや	SEHAYA	瀬早
	解説	瀬早，転訛せずせはや。 瀬早については，これまで一般には出ていないが，秋田と青森にまたがり弘前を含む青森西部を治めていた富忠傘下の領主であろう。後世，瀬早が早瀬の地名となったものであろう。 家印は右宮のとりあし|木である，藤原経清の暗号である。 推察するに，頭を上げず，顔を見せず，最後まで沈黙した武将の影武者の身代わりは，この瀬早の領主ではなかったか。では・・・安倍重任の身代わりは宇曾利の向だったのか。 顔を見せれば，経清でないことが直ぐバレる，頼義承知の上の芝居である。	

No	屋　号（呼　称）		由　来
61	ゆかや	YUKAYA	簀　　諭卦
	解説	簀，転訛せずゆかや。 簀は臣の下を守る役目か，竹の床の意味があり，後方の械密と関連がありそうである。 床も考えられたが，簀であろう。 竹細工や桶の箍などに関連があるか。 幕末伊達藩の医師毛利宥貫が居住したと云う。 諭卦は夏王朝由来のもので，周易の説卦と意味が同じである。諭は告げること，卦は八卦のことである。	

No	屋　号（呼　称）		由　来
62	にんや	NINYA	貳
	解説	貳，にんやに転訛。 貳，弐は臣に仕えて，その意を承ける役目である。今の政務次官である。 田代島の向いの半島小網倉にある臣と弐の家もぴたりとついている。	

No	屋　号（呼　称）		由　来
63	さんざや	SANZAYA	参佐
	解説	参佐，さんざや転訛せず。 参佐，三佐で始佐・間佐・後佐を監督，苗字が太郎目と同じ本田なので，太郎目と協力する関係だったのだろう。 横笛と謡の名手がおり，祭りの笛の曲は，ここの家人が伝えたと云う。	

No	屋　号（呼　称）		由　来
64	たろべや	TAROBEYA	太郎目
	解説	太郎目がたろべやに転訛。 太郎とは最もなるもの，最も優れたもの，その長なるものを云う。依って，太郎目は各「目」の長である。田代寺の側にある「ニワトリ権現」の管理役で，稲荷大明神と田代寺を往復する祭りの神輿の先導役でもあり，長い樫の棒を持ち，神輿より高い所から見下ろす人を大声で注意していた。子供達はこの先導役を「シャレ・シャレ　ズズ」と呼んでいた。 もしかしたら，荒神が貞任の「空墓」で，鶏 権現が貞任の「身墓」かもしれない。	

No	屋　号（呼　称）		由　来
65	といめや	TOIMEYA	詰目
	解説	詰目，といめやで唇音転訛せず。詰とは，吉善を責め求め，詰問することを云う。とう，しらべる，なじる，せめる，ただす，いましめる，つめるの意味がある。『詰腹を切らされる』の詰めである，音訊と共に人を取調べる役目である。田代島の裁判は，音訊，詰目，復目，判是目とあくまでも人の是を引出し，人を生かす為の性善説に拠るものと見受けられる。他に屋号をイマムラ（IMAMURA）と云う。その由来は近世，仙台青葉城の城番今村大太郎の嫡子（家督）である今村周之亟が故あって流罪となったが，田代島で再度吟味され無罪となり詰目の平塚の婿養子となったことによる。島では持前の剛胆さをもって，無法者を取締った。	

No	屋　号（呼　称）		由　来
66	じんべや	JINBEYA	忍目(じんめ)
	解説	忍目が唇音転訛してじんべや 忍目の忍はにんとも読み，しのぶ，たえる，ゆるす，こらえる，よくするの意味がある。 甚兵衛さんの家でもなさそうである。これは誰もが知る如く，忍(しの)びの者即ち諜(ちょう)報(ほう)役の家である。 古学校(ふるがっこう)（仁斗田，旧国民学校）の北側にあり，道路側より見て，不思議と目線を合わせずらい配置となっていた。 忍者の家なので，場所は明示しない。	

No	屋　号（呼　称）		由　来
67	もんべや	MONBEYA	聞目(もんめ)　閶目(もんめ)
	解説	聞目，閶目が唇音転訛して，もんべや。 鶏の頤(あご)（匠(おとがい)→音(おと)）の部位にあたり，見るは目で荒神，言うは舌で伝目，聞(き)くは聞目，神の声を聞きとる役目であろう。 閶目(もんめ)で天門を守る役目も兼ねる。	

No	屋　号（呼　称）		由　来
68	へっしょや	HESSHOYA	閁書(へっしょ)　ノ書(へっしょ)
	解説	閁書，そのまゝ転訛せずにへっしょや。 ノ書(へっしょ)，擊書(へっしょ)，撇書(へっしょ)とも考えられ，書意目の場所から斜め左下にひいて到る場所で，文書処(ぶんしょどころ)であろう。 そこにあった古文書は昔の大火で焼失したものか。 そこに住む家人は新興と云われている。	

No	屋号（呼称）		由来
69	よへじや	YOHEJIYA	餘戸事
	解説	船大工と家大工の両方を兼務する役目。屋敷は鶏の羽根の部分で冶鋳の西側にある。仕事に必要な釘や鎹を冶鋳が供給する為である。	

No	屋号（呼称）		由来
70	やまね	YAMANE	山門
	解説	山門がやまねに唇音転訛したもの。役目は大泊の山門と同じで，山の管理と，神社への往来の監視である。三宝荒神と八幡大神，山の頂上にある愛宕神社に通じる二つの道に挟まれ，その入り口付近に屋敷がある。	

No	屋　号（呼　称）		由　来
71	すけだろや	SUKEDAROYA	沚瀛太郎（しけたろう）
	解説		沚瀛太郎は地文航法（ちもんこうほう）のスペシャリストである。海流・沿岸の水深・潮流・山かけなど，海岸線を知りつくした者である。 天文の宮（きゅう）太郎（たろう）とはフィンランド神話の時代からの親類（しんるい）である。 平安時代後期，田代島発祥当時は浜の海岸線が沖の『かさ根（ね）』の方まで広かったのか，明治時代にすけだろやの漆（うるし）塗（ぬ）りの赤い大きな柱（はしら）が波打際（なみうちぎわ）で波に洗われていたと云う。 屋敷は移転し，鶏（にわとり）の嘴（くちばし）から見て東の高台にある。 〈エピソード〉 アメリカとの戦（いくさ）に敗れた昭和の時代，あるとき，この家で長男の結婚式があった。宮太郎との往来が少なくなったせいか，宮太郎への招待を失念（しつねん）してしまった。 腹の虫が治まらない宮太郎の長老が，『本日（ほんじつ）は何（なん）の祝（いわい）事（ごと）でありましょうか？』とねじ込んだと云う。子ども達にも知れ渡る島では大きな出来事であった。時代は変わったのである。

No	屋号（呼　称）		由来
72	せだろや	SEDAROYA	采太郎
	解説	采太郎はせいだろやとも呼ばれ，せいの読みの名前がつけられている。采がせいに転訛したものである。女装をして船の艫で采を振る役目である。屋敷は鶏の鼠蹊部にあたる宮事目の北東隣にある。 汢瀛太郎と采太郎は，船首と船尾前後のペアである。 水の都は松江で 10 年に一度開催される『ホーランエンヤ』の船祭，船の艏の早助と剣櫂，艫の音頭と采振り，正に田代島の屋号そのものである。 汢瀛太郎は早助と共に剣で邪気を祓い，船を誘導し，采太郎は音頭と共に采を振り，漕手を指揮鼓舞する。 九州は若宮八幡の 1 月 1 日の行事に『ホーラン・エンヤ』がある。ホーラン・エンヤは，SUOLAN・ENYA のフィンランド語から来ている。フィンランドと島根と田代島の古いふるい絆が感じられる。 〈余談〉 斉太郎節は采太郎節であり，采太郎屋系の苗字『高橋』は，艫の高台に立ち女踊をして漕手を鼓舞する『高端』ではなかろうか？	

真帆櫓　　片帆櫓

奥神と荒神についての考察

奥神と荒神は札場の守護神で，鶏の目の部分にあたり，視線は京都方面にある。

奥神は奥津彦命である。

荒神は三宝荒神となっている。両神とも同じ祠に祭られてある。

三宝とは起源はフィンランドの神話からきており，サンポーとは「磨臼」のことで，そのまた起源は古代インドの「スカンバ」にある。

「スカンバ」とは宇宙のすべての物を支えているとある。

石が二つある臼の軸，即ち「スカンバ」がずれると大地は荒れる。

荒神はそのことをさす。

岩手県奥州市衣川の磐神社は，荒覇吐神であり，安倍一族の守護神である。

宮城県多賀城市の荒神は，荒脛巾神で，それぞれあてる字が異なっている。

多賀城の脛巾とは足の脛に巻く布製のキャハンのことで，長髄彦（古代大和民族）のスネに関連がありそうである。

庶民の底流にある繋がりに，衣川の男石様と女石様，多賀城の炉辺「おがり物」が見受けられる。

荒神については，江戸時代，荒神様は鶏が好きといって，鶏の絵馬が奉納されたと云う。

鶏については，キリスト教箴言 30 29-31 に，堂々と前進するものに，尾を立てて歩く雄鶏と軍隊を率いる王があるとある。

因に，真言宗の原点は，キリスト教の箴言にあると聞いたことがある。

出雲美保関の事代主命と日穂津姫の鶏に関する伝説。

最後に，伊勢神宮の神の使いは雄鶏である。

完

あ と が き

1991年12月20日　日外アソシエーツ（株）編集発行，発売元紀伊国屋書店の「島嶼大事典」に田代島は以下の如く掲載されている。

『宮城県石巻市　太平洋の有人島。牡鹿半島の西岸沖，石巻湾。40～60 m の段丘の島で中生代の砂岩，頁岩（けつがん）からなる。南三陸金華山国定公園……前九年・後三年の役後安倍一族の残党が漂着したといわれ，その供養塚「八兵衛壇」があり，安倍姓も多い。江戸時代は仙台藩の軽犯罪人流刑地であった……』

物心ついた頃から，安倍貞任や八兵衛壇の話は，誰が言うともなく知ってはいた。

その伝説の真偽はともあれ，古（いにしえ）の島の歴史にまつわる話として，島民等しく共有してきた様に思う。私自身が阿部姓であり，祖父の名が八兵衛であったことから，増して親近感を持っていたかもしれない。

島内の日常生活に，ごく当たり前に馴染んでいた「屋号」があった。私の家には無かったが，実家のそれは「シンヤ」だった。勿論その由来など知る由も無く，不思議に思いつつも勝手に「新屋」と決め込んでいた。

田代中学校昭和32年卒同期会の席で，竹馬の友 阿部洋祐君（以下彼）から偶々（たまたま）島に伝わる屋号の由来の話を聞いたのは何時だったろうか，数年前だったような気がする。

記憶は定かでないが，彼の謎解きの話に魅了され，以来脳裏から消え去ることは無かった。何時かその話の全容を聞き出したいと思いつつも，日頃の生活に忙殺され，彼の住む多賀城は遠方の地となっていた。

昨年五月退職を機に一念発起，彼の許を訪ねて教えを乞うた。膨大な資料の検索，フィールドワークの汗の結晶を基に，彼の明晰な頭脳を駆使した，緻密な思考と大胆な想像力を以てまとめ上げた成果を快く披瀝いただいた。壮大なロマンに満ちた大河ドラマを想像逞しくして観る思いがした。歴史の秘密は口伝として，その地の人口に膾炙する。

貞任渡島伝説はフィクションだろうか。田代島以外の牡鹿半島（往時の遠島）一帯に残る地名や屋号も，深く関連していると推察すれば，決してそうでないような気もする，事実は小説よりも奇なりである。

平安時代後期の「前九年の役」の名称で知られる，安倍氏一族の朝廷との戦いの顛末は，軍記物語の嚆矢（はしり）とされる「陸奥話記」に詳しい。しかし平安時代後期，11 世紀後期頃の成立とされるこの「話記」の作者は不明（儒学者・文人の藤原明衡との説がある）であり，且つ陸奥国から奏上された国解（公文書）を基にしたと見られることから，一方的な勝者目線の史書といえる。敗者を貶める歴史は常だが，その真実は密かに，連綿と語り継がれる伝説に秘められていることもまた事実であろう。

大正 7 年小西勝次郎（可東）氏の手に成る「巨人貞任」は，氏の膨大な資料の一部で，「陸奥話記」を準えながら，安倍氏一門の事跡を述べたものである。大正時代の著書で，文章や仮名づかいも読みづらいことから，小生が平易な文章に要約したが，独りよがりの解釈による齟齬があるかもしれない。

安倍氏一族の田代渡島に関わる歴史の記録は無い。貞任にまつわる伝説と摩訶不思議な暗号にも似た「屋号」のみである，或る人は荒唐無稽というかもしれない。

彼がこの伝説の裏付史実探しを始めたきっかけは，かつて彼の職場（トロール船）で，いわき出身の同僚と一献酌み交わしていた時，偶々郷里の歴史が話題となったことから，自身の島の歴史の無知を痛感したことだったという。

歴史の秘密は記録としては残らない，しかし多くの史料を読み込み，膨大な資料を精査し，更に前九年の役の舞台「奥六郡」や貞任渡島の経路地を踏査し，検証・考察した成果である屋号の謎解きこそ，伝説裏付けの証左とはなるまいか。

精魂込めたこの成果は，彼の手元に置くだけでなく，もっと多くの人達に知られるべきだと思い，余計なお世話と知りつつ，小生がこの原稿のまとめ役を買って出た。

編集に際し，郷里の先輩「やすぺや」の田代健雄氏にもご協力いただいた，感謝申し上げたい。また小誌を目にした島の先輩諸兄姉にも，ご意見たまわれば幸甚である。

平成27年6月

阿　部　進一郎

改訂版のあとがき

竹馬の友阿部洋祐君が故郷田代島に伝わる不思議な屋号の謎を解き明かした労作「安部貞任伝説考」仁斗田編を上梓（じょうし）したのは平成27年（2015）6月である，6年もの歳月が経つ。更に大泊編を平成30年（2018）4月に上梓した。

先般彼から今度仁斗田編の「改訂版」を出すので，あとがきをお願いしたいとの連絡があった。これまでの経緯（いきさつ）もあるので書かねばと思ったが，内容も知らずに二つ返事で引き受けは出来まいと思い問い合わせると，金港堂出版部の校正コピーが届けられた。

内容を一見すると一部の補正と新たに4軒の屋号の解説が加えられていた。更に精査すると改定にこだわった彼の意図がすぐに分かった。

先の仁斗田編「鶏足コード」で68軒の屋号を解説した最後に「その他にスケダロヤ（SUKEDAROYA），ヤマネ（YAMANE），ヨヘジヤ（YOHEJIYA）が判明したが，分家または新興なのか，由来や役目など私の力では判明できないので後進に譲ります」と書いている。

彼は後進に譲ることなく，自力で解明し今般の改訂版に漕ぎ着けたのだ。多分大泊編上梓の後から取り掛かったとして少なくとも3年の歳月を要している。これだけの作業に費やした膨大な時間もさることながら，旺盛な探求心と根気には圧倒された。加えて少なからずの費用も掛かることなのに，出版することの自覚と責任をも教えてくれた。

彼はこの改訂版の上梓を以て故郷田代島への思い入れ，島のルーツ探求の一区切りにしたいと思ったに相違ない。

先日縁戚筋の行事で一級先輩のSさんに遇った，彼女は思い出したように「あなたの同級生洋祐さんの書いた屋号の本，どうして調べたのか本当にすごいね」と感嘆しきりであった。ああ，見ている人はちゃんと見ているのだなあと自分事のように嬉しかった。

改めて初版を読み込んでみた。島民等しく共有してきた古（いにしえ）の島の歴史を語り伝える叙事詩である。Sさんの言ではないが，よくぞここまで書き上げたものだ，様々な想いが脳裏を過（よぎ）る。出版に少しく係わってきた一人として誇らしく思いながらも，この史実探求の切っ掛けをつくってくれた功労者，著者かつての職場トロール船のいわき出身同僚との縁の不思議を思う。その縁をこの謎解き物語にまで紡ぎ上げた彼の努力と才覚は賞賛されるべきだ。心から「ご苦労様そして有難う」の言葉を贈りたい。彼はコスモス（宇宙観）の所持者だ，島の謎解きを終えた次は何の謎解きに取り掛かるのだろう。明晰な頭脳，衰えを知らぬ旺盛な知識欲と根気，傘寿（さんじゅ）は人生の通過点に過ぎないワクワクする。最後にアメリカの詩人サミュエル・ウルマン原作「青春」の詩の一節を餞（はなむけ）とし，共に余生の青春を謳歌（おうか）したい。

「青春とは人生の或る期間を言うのではなく心の様相を言うのだ……年を重ねるだけで人は老いない……理想を失うときに初めて老いがくる……情熱を失うときに精神はしぼむ。」

令和3年5月

阿　部　進一郎

［著者プロフィール］

阿　部　洋　祐（あべ・ようすけ）

昭和16年宮城県牡鹿半島の田代島に生まれる。
昭和34年国立仙台電波高等学校（現・高専）卒業。
学費弁済と恩に報いる為3年地元の漁船で稼ぐ。
昭和37年昔父がお世話になった（株）極洋入社。
捕鯨船・大型トロール船・大型リーファーで，無線通信業務と事務に携わる。
平成5年3月芦屋・海技大学校航海科修了。
地方海運会社のコンテナー船の航海士として働く。
平成9年宮城県立仙台高等技術専門校造園科卒業。
植木屋を営む傍ら，これまでの経験を基に，
地球上の諸現象と占星・易占を研究中。
一級無線通信士・三級航海士・二級造園技能士
易学一級師範鑑定士
『宇宙の力』の発見者で，其の研究のパイオニア。
著書　『ブラックエリア』『太陰のとき』『セイムウェイ』（あづま書房）
　　　『セイムウェイ』の追補・訂正版は宮城県図書館にあり。
　　　『安倍貞任伝説考』
　　　『安倍貞任伝説考（大泊編）』

住所　宮城県多賀城市東田中 2-3-22

安倍貞任伝説考（改訂版）

平成27年9月28日　初版発行
令和 3 年7月 1日　改訂版発行

著　　者　阿　部　洋　祐
発 行 者　藤　原　直
発 行 所　株式会社金港堂出版部
仙台市青葉区一番町二丁目3番26号
電話（022）397-7682
FAX（022）397-7683
印 刷 所　笹氣出版印刷株式会社

ISBN978-4-87398-138-3